MISERERE

Bernard Clavel

LE ROYAUME DU NORD

MISERERE

ROMAN

Albin Michel

IL A ÉTÉ TIRÉ DE CET OUVRAGE
SOIXANTE EXEMPLAIRES SUR VÉLIN CUVE PUR FIL DE RIVES
DONT CINQUANTE NUMÉROTÉS DE I À 50
ET DIX, HORS COMMERCE,
NUMÉROTÉS DE 1 À X

A Florida Cayer,
à travers elle, à tous ceux qui m'ont enseigné la terre du
Nord pour l'avoir arrosée de sueur et de larmes.

B C.

« Les pauvres marchent toujours à l'encontre du vent. »

Proverbe

Première Partie

UNE TERRE VOUS EST DONNÉE

1

L'AUBE tirait lentement quelques voyageurs de leur sommeil. Pelotonnés dans la tiédeur patiemment accumulée durant des heures, ils demeuraient immobiles. Le froid, visible partout, attendait le moindre geste pour se glisser sous les vêtements.

Par-delà les vitres crasseuses, une lueur rose grandissait, tirant de la nuit la forêt transie. Du sentier de ballast et des talus, montait une poussière de neige soulevée par le passage du convoi. La vapeur de la locomotive s'y mêlait parfois. Des tourbillons de fumée noire roulaient sur les pointes des épinettes où ils s'éventraient. Lorsqu'ils s'écrasaient au sol, le ciel un instant obscurci réapparaissait où pâlissaient les dernières étoiles.

Parti de Québec au crépuscule, le train avait roulé toute la nuit dans des forêts aux lueurs de métal noir piqueté d'or. Nul n'avait remarqué à quelle heure il était entré dans les contrées enneigées.

La lumière montait, pétrissant l'ocre et la cendre, repoussant les ombres entre les branchages des résineux.

Timidement, Cyrille Labrèche sortit sa main droite de dessous son manteau. Le besoin de fumer était plus fort que la peur du froid. La main tâta l'air ambiant, s'approcha d'une jointure de la fenêtre puis se retira.

Cyrille se frotta longuement les yeux. En face de lui, la tête inclinée sur l'épaule gauche, sa femme dormait. On ne voyait que son nez et ses paupières closes entre une énorme tuque de laine brune et un châle gris débordant le col lustré d'un manteau de drap noir. Elle était restée longtemps le visage tourné vers l'extérieur; une large lune de givre marquait encore la vitre. Recroquevillés sur les banquettes de bois, enveloppés de couvertures et la tête posée sur des paquets de linge, les enfants n'avaient pas bronché.

Cyrille se leva doucement, économisant ses gestes. Fouillant ses poches à la recherche de son tabac, il lança un regard entre le haut de la cloison et les filets où s'entassaient valises et baluchons. Martin Garneau lui adressa un petit bonjour de la main , puis désigna le couloir. Les deux hommes se rejoignirent. Ils étaient à peu près de la même taille. Martin plus large et plus épais avec un visage carré mais bien rempli. Cyrille osseux et tout en nerfs. Martin souleva une casquette informe à la visière cassée et luisante d'usure, pour passer ses doigts dans une toison noire embroussaillée.

— T'as dormi?

— Très mal.

— Moi aussi.

— Doit faire un foutu froid!

Cyrille frotta l'une contre l'autre ses longues mains sèches. Un plaisir malin l'habitait.

— Plus y fera froid, moins viendra de monde. Moi je te dis qu'on va être les rois.

Ils bâillèrent, l'un entraînant l'autre, puis le visage décharné de Cyrille se mit à grimacer comme s'il se fût livré à une mise en train de sa mécanique. Les muscles et les os roulaient sous sa peau piquetée de barbe blonde. Ses paupières battaient sur ses yeux gris délavés. Ôtant son bonnet de laine bleue, il découvrit un haut front et un début de crâne dégarni qui filait, luisant comme un marbre, jusqu'à une chevelure filasse très aérée. Il se gratta, passa plusieurs fois sa paume comme pour un soigneux lustrage, puis, s'étant recoiffé, il se mit à frotter ses mâchoires et son menton en galoche. Il prenait plaisir à ce bruit d'éteule râtelée. Ayant enfin trouvé son tabac et ses feuilles, il tendit le tout à Martin.

L'aube qui s'était tenue immobile un long moment se mit à progresser. Sa clarté encore hésitante furetait entre les épinettes et léchait la neige. Un début de pétillement s'amorçait qui augmentait l'impression de froid. Poussé par la lumière, l'hiver semblait s'enhardir jusqu'à entrer dans le wagon.

Parlant juste assez haut pour se comprendre en dépit du roulement saccadé et de tout un ferraillement d'attelages, les deux hommes se tenaient proches des carreaux qui vibraient dans leurs glissières. Des vents coulis affûtaient leurs lames entre les jointures.

— Ça doit être tombé depuis pas mal de temps, fit Cyrille.

— À Montréal, de la neige à la mi-octobre, c'est tout de même pas souvent que t'en vois.

— Sans compter qu'on n'est pas encore rendus. Plus on avance, plus on va en trouver.

Cyrille semblait tout réjoui à l'idée de cette progression vers l'hiver. Son compagnon l'observa un moment, à peine étonné, avant de dire :

— Tu crois pas que c'est une folie ?

L'autre parut surpris. Écarquillant les yeux, il se redressa pour demander :

— T'avais le choix ?

— Pas tellement.

Ils demeurèrent un moment à regarder pâlir les étoiles.

Derrière eux, des formes remuaient. Un coude cogna le dossier de bois. Il y eut des soupirs et quelques gémissements. Garneau entreprit de rouler une cigarette. Il s'était appuyé de l'épaule et le tressautement du wagon se communiquait par son bras jusqu'à ses doigts. Cyrille avança ses mains maigres sous les siennes et recueillit quelques brins de tabac qu'il fit couler dans le paquet. Martin mouilla le papier léger, colla puis lissa longuement du bout de la langue. L'autre suivait chacun de ses gestes. Mû par une espèce de mimétisme, il tirait la langue lui aussi, ébauchant un mouvement de droite à gauche, visage tendu. Quand Martin eut planté entre ses lèvres sa cigarette tordue dont l'extrémité était serrée en tortillon, il tendit le paquet et le carnet de feuilles à Cyrille. Malgré sa nervosité, celui-ci était plus à l'aise pour rouler, à peine gêné par les sursauts du train. À son tour, Martin l'observait. Lorsque Cyrille eut refermé et empoché son tabac, ils allumèrent, penchés tour à tour sur la longue flamme souple qui fumait noir. L'odeur d'essence emplit un moment l'espace autour d'eux, puis celle du tabac domina. Dans les volutes bleues et grises, les filets d'air creusaient de longs sillons. Les hommes tirèrent quelques bouffées en silence. La cigarette de Cyrille était plus ronde et plus grosse que celle de Martin d'où tombait déjà de la cendre.

— En tout cas, fit Cyrille, on a fini de se crever pour des patrons.

— Tu vas te crever encore plus.

— Au moins, ce sera pour moi.

Martin pinça ses lèvres pour laisser filer un brin de fumée raide comme un jonc. Son regard s'était durci. Après un temps, il dit :

— Sûr que j'aimerais pas que ça rate. Je me vois pas revenir pour pleurer un emploi.

16

— Plutôt crever !

Cyrille avait interrompu son camarade d'un ton cassant. Anguleux de visage et de corps, il avait des lueurs acérées sous l'apparente tendresse du regard transparent. Il mordait souvent ses lèvres minces. Même lorsqu'il semblait tout à fait calme, il avait une manière presque brutale de lancer les mots comme des pierres. On le devinait volontaire, sans doute obstiné. Ses gestes étaient à la fois précis et nerveux, son visage habité d'une multitude de tics. Ses veines saillaient. Ses muscles tendus tressautaient.

Quelque chose de douloureux émanait de lui. Un air de fragilité. Souvent, une clarté d'enfance inondait son visage. Des pattes noires d'oiseau maigre avaient laissé leur empreinte à la commissure des lèvres et des paupières.

Martin était plus solide. Moins en nerfs. Regard noir sous les sourcils broussailleux, menton creusé d'une fossette qu'il ne parvenait jamais à raser tout à fait. Écoutant Cyrille, il fronçait parfois son front bas dans un effort pour saisir les mots qui, souvent, se chevauchaient.

Sur le défilé de la forêt, s'accentuait le pétillement de lumière. Dans les hauteurs, la voûte du ciel tirait un seul pan parfaitement verni.

— Moi, dit Cyrille, le bois, ça me fait pas peur. Ce sera toujours pas pire que ce que j'ai connu.

— C'est sûr : quand je te voyais coltiner tes poches de cent vingt-cinq livres, des fois, je le disais à ma femme : ce gars-là, je sais pas comment y tient. Un jour y va s'écrouler.

Cyrille se redressa fièrement :

— M'écrouler ? Ce qui me tuait, c'était pas les charges. Je pourrais porter plus lourd. C'est la poussière

17

de charbon. Depuis des mois que je travaille plus, ben mon vieux, je crache encore comme de la suie.

Il regarda dehors et son œil s'éclaira tandis qu'il ajoutait, presque gourmand :

— Dans ce bout-là, on va respirer !

Ils se retournèrent. Un garçon venait de se mettre à parler. Les autres enfants se réveillaient.

Toute ronde sur une forte charpente, Charlotte Garneau se dégagea de son recoin. Elle s'étira en se levant et secoua sa torpeur. François qui s'était approché de la vitre cria :

— De la neige ! De la neige !

De l'autre compartiment, la voix plaintive d'Élodie Labrèche se lamenta :

— Seigneur Jésus, et ça t'amuse ! Maudit chien de pays !

Les hommes gagnèrent deux places face à face au centre du compartiment des Garneau pour laisser aux enfants l'accès aux fenêtres. Dès qu'ils eurent roulé une autre cigarette, ils se remirent à parler. Cyrille dit :

— Tout de même, toi, t'as un métier moins crevant.

Le regard de Martin hésita un instant avant de s'éclairer d'un sourire.

— Ben mon vieux, m'en vas te dire : j'ai plus de métier du tout. Pas plus que toi. Pas plus que personne dans ce train-là et dans tous les trains qui vont vers le Nord. J'ai bien peur de plus jamais le refaire, mon métier.

— Sûr que tu y perdras plus que moi. C'était moins crevant que le charbon.

— Tu sais, toute la journée devant des fourneaux à respirer des vapeurs de sucre, c'est pas tellement bon pour la poitrine.

— Je veux bien le croire. Mais t'étais tout de même rudement mieux payé.

— J'avais des responsabilités.

— Moi, j'ai jamais dépassé soixante piastres par mois. Avec ça, t'as pas de quoi faire des folies.

Ils demeurèrent un moment absorbés par leurs souvenirs. La tête de Cyrille s'inclinait lentement sur son épaule gauche, son cou se tordait, étirant sous la peau des muscles et des veines pareils aux brins d'un câble. Après un long silence, Martin observa :

— On se plaint du travail. Puis le jour où on le perd, c'est tout vide.

— Moi, je me plaignais pas. C'était pénible, mais c'est vrai que je regrette un peu. Et puis, d'un autre côté, je suis pas mécontent, mon patron faisait trop de sous sur ma peine.

Il regarda un moment la silhouette de sa femme debout dans le couloir. À côté de Charlotte, elle paraissait toute menue. Les enfants se chamaillaient. Les femmes laissaient faire. L'ancien livreur de charbon avança ses fesses pointues sur le bord de la banquette et s'inclina vers Martin pour reprendre en désignant son épouse d'un petit geste rapide :

— Son atelier était rudement loin ; dans l'est de la ville. Déjà pour s'y rendre, c'était tuant. Y avait un bonus, ben t'as jamais une seule ouvrière qui l'a touché ! Des semaines de soixante-dix heures pour trois dollars. T'en as qui ont été foutues dehors pour être allées aux toilettes plus de deux fois dans la matinée. Elles cousaient que du gros drap de capote. Les doigts tout esquintés, les ongles brisés, mal partout.

Il baissa encore le ton pour ajouter :

— Hé ben, même ces femmes-là, elles ont pleuré quand on les a balancées.

Martin écoutait en approuvant de la tête. Il savait tout cela pour l'avoir entendu raconter vingt fois. Il avait

connu bien d'autres cas de travail terrible et de licencie-
ment.

— Ces patrons-là, mon vieux ! grogna Cyrille.

Son poing droit vint claquer l'intérieur de sa main
gauche. Il laissa sa phrase en suspens et Martin répéta
comme pour se donner du courage :

— Retourner pleurer du travail, ça ferait mal. On est
venus ici, faut se battre ici.

Le convoi ralentit et les enfants se mirent à s'agiter en
criant qu'on arrivait. Les mères haussèrent le ton. La
locomotive peina et souffla plus fort un long moment
avant de reprendre de la vitesse à la sortie d'une courbe.
Rien n'avait changé ni à droite ni à gauche de la voie. Le
soleil s'appuyait sur les cimes dentelées pour regarder
passer ce train qui fumait noir et blanc. Aucune autre vie
que celle de la lumière ne semblait habiter la forêt.

Cyrille s'était mis à parler de ce qu'il espérait. Il se
voyait déjà à la tête d'un troupeau.

— Les bêtes, je sais ce que c'est. Ben tu peux me croire,
une vache, c'est de meilleure amitié qu'un homme. Et
encore, je parle pas des chevaux.

Il se tut. La voie longeait un lac et la lumière avait
grandi d'un coup. La glace recouvrait une large bande le
long des rives. L'eau sombre était constellée de myriades
de vagues dorées.

Cyrille posa sa main sur le genou de Martin pour lui
demander attention.

— Ça peut étonner bien du monde, mais le plus dur,
c'est pas tellement quand le patron m'a foutu dehors
comme un malpropre. Le plus dur, c'était de quitter ma
jument. Une fameuse bête, je te jure. Ça faisait quatre
années que je trimais avec. Des juments pareilles, j'en ai
pas connu des douzaines.

Il s'interrompit soudain. Sa pomme d'Adam très saillante sembla s'affoler sous sa peau aux rides piquetées de charbon. Il regarda dehors. Le lac s'achevait. Martin aussi s'attachait à observer les rives désertes.

Cyrille reprit :

— Tu sais que cette bête, c'était une vraie horloge, elle connaissait l'heure et les jours et tout. Dans ta boîte, c'est toujours le jeudi, que je livrais. Ben mon vieux, je pouvais passer devant la porte un autre jour, elle bronchait pas. Le jeudi, elle s'arrêtait toute seule.

— Elle attendait ses rognures de biscuit.

— C'est sûr.

Le visage de Martin s'assombrit. Hochant lentement la tête, il dit :

— Après un mois de chômage, y m'arrivait d'y penser, aux rognures. On en foutait des kilos aux poubelles... Hé bien, certains jours, je les aurais bien mangées.

Il avait baissé le ton, comme honteux d'avouer sa faim.

Ils se turent un long moment. L'ancien charretier était tout habité des regards amoureux que sa jument lui adressait lorsqu'il lui apportait une poignée de débris fleurant bon le sirop d'érable.

Sans le voir vraiment, il suivit un moment des yeux le défilé rapide des ombres et des lumières crépitant sur la vitre sale. Puis, avec un soupir, il confia :

— Je te le dis à toi, je le dirais pas à n'importe qui. T'es homme à pas te moquer : quand j'ai eu empoché mon dû, avant de quitter l'entrepôt, je suis repassé par l'écurie. J'avais gardé un bout de mon pain pour elle. Puis je lui ai redonné trois fourchées de foin et une poignée d'avoine. C'était pas dans les habitudes, elle avait l'air de rien comprendre. Alors, je l'ai caressée en lui causant tout doux : « C'est la crise, ma vieille. Toi, tu sais rien de tout ça. Une maudite affaire pour nous autres. C'est le fils du patron qui va te mener. J'espère qu'il te rossera pas trop. »

Ben mon gars, elle s'est tournée vers moi en reniflant tellement que j'aurais cru qu'elle pleurait. Puis elle s'est mise à secouer le nez comme pour dire qu'elle comprenait, qu'elle m'en voulait pas de la laisser.

Il y eut un long silence avec les bruits du train et les cris des enfants réunis dans le compartiment voisin. Les deux femmes distribuaient du pain et des pommes. Comme François, l'aîné des Garneau, venait s'asseoir près de son père pour manger, Cyrille se hâta de dire :

— Moi, ben j'avais les larmes qui me coulaient... Des années que j'avais pas pleuré.

Il tourna la tête vers la forêt où la neige soulevée volait de plus en plus haut. Assis de trois quarts, François qui avait quatorze ans et ressemblait beaucoup à son père, mangeait lentement, fasciné par ce défilé de résineux qui n'en finissait plus de multiplier les ombres et les lumières.

2

DANS ces wagons de bois quelque peu délabrés, les compartiments étaient jumelés. Deux compartiments, une porte battante montée sur de grosses paumelles à ressorts, puis deux autres et encore une porte. Le convoi comptait trois voitures pour voyageurs, une dizaine de fourgons à marchandises plus quelques plates-formes à grumes qui montaient à vide vers les forêts du Nord. Dès que le train ralentissait, des enfants se précipitaient aux portières en braillant :

— On arrive ! On arrive !

Les femmes criaient plus fort qu'eux pour les faire taire. Les hommes les écartaient pour ouvrir et sauter sur le quai enneigé. Ils interrogeaient les employés.

— Où on est ?

On leur lançait des noms de stations tout à fait inconnus. Il n'y avait généralement que quelques baraques de bois rond : la halte du chemin de fer et d'autres, bâties pour les ouvriers qui avaient ouvert la forêt et posé les rails. Elles étaient occupées par des bûcherons, des scieurs ou quelques débardeurs.

— On reste longtemps ?

— Faut manœuvrer. On a un fourgon à décrocher.

Alors les hommes refermaient les portières au nez des

enfants et des femmes. Ils faisaient quelques pas dans la forêt puis, sans cesser de deviser, ils se mettaient à pisser sur la neige. Une longue file de petites fumerolles montaient, vite emportées par le vent froid. En attendant la fin de la manœuvre, les colons se dégourdissaient les jambes, battant la semelle sur le sentier de ballast durci ou sur les quais de bois sonores et glissants. Ils regardaient l'avant des wagons couvert de glace formée par la vapeur de la locomotive. À chaque coup de tampon, il en tombait des coques épaisses qui se brisaient entre les rails.

Au début de la matinée et vers la mi-journée, des employés du chemin de fer distribuèrent de la soupe de blé très gluante qui sentait fort la graisse rance. Les femmes obligeaient les enfants à manger :

— C'est plus le temps de faire des simagrées, faut prendre.

— C'est toujours du chaud. Tout ce qui entre fait ventre !

— Avec le froid, faut manger gras. Sinon, on tient pas.

Les mères ouvrirent des paniers à couvercle d'où elles tirèrent du pain dur, du lard et du chocolat. C'était ce que les religieuses de la colonisation leur avaient distribué sur le quai, au départ de Québec. Les hommes demeuraient entre eux, les femmes avec les enfants. Elles parlaient sans relâche. Il y en avait toujours une pour secouer celles qui se plaignaient par trop. Toutes portaient en elles un fond d'inquiétude, mais les plus fières se refusaient à le laisser paraître. Élodie Labrèche se lamentait :

— S'en aller vers des pays d'hiver, c'est fou.

— Tu verras que c'est pas pire ici qu'en bas. Faut pas te fier aux racontars.

— Tout de même, ça dure plus longtemps. À preuve...

Elle tendait la main en direction de la forêt toute blanche, mais Charlotte Garneau insistait :

— C'est un froid sec. Pour la poitrine, c'est bien meilleur.

Dans les plus modestes haltes, il arrivait que s'entrouvrît la lourde porte à glissière d'un wagon à marchandises. Une visière de casquette ou un bonnet de laine passait timidement, tenant dans l'ombre un regard inquiet. Si l'employé de la station et les conducteurs du convoi faisaient mine de ne rien voir, la porte s'ouvrait un peu plus pour livrer passage à quelques hommes déguenillés voyageant sans billet. Eux aussi descendaient se vider derrière un arbre. Ils s'enhardissaient parfois à venir jusque vers les voitures de voyageurs. Prises de pitié, les femmes leur tendaient un quignon. Les colons en partance pour le Royaume du Nord leur passaient le fond d'un paquet de tabac. On leur tendait une bouteille pour une rapide goulée. Les pauvres donnaient à plus pauvre qu'eux. Ces voyageurs clandestins remerciaient d'un geste et d'un regard et regagnaient leur fourgon obscur et glacé. Haussant les épaules, le contrôleur disait :

— Si on leur fait la chasse, y se montrent plus. Y font dans les wagons, la pisse et le reste. L'été, on peut les empêcher de remonter ; à cette saison si on les laisse en pleine forêt, y vont emmerder les gars des stations. De toute façon, depuis les froids, y en a de moins en moins. Peut-être qu'ils commencent à savoir qu'on trouve pas plus à manger à l'Ouest qu'ici.

Une fois le convoi reparti, on se rendait visite d'un compartiment à l'autre. Des liens se tissaient rapidement. Les malheurs endurés composaient un bon mortier de sympathie. Tous venaient des villes, tous avaient perdu leur emploi et connu la faim. Bon nombre d'entre eux avaient côtoyé misère plus grande encore que la leur.

Près de Cyrille Labrèche et de Martin Garneau, quatre colons vinrent s'installer qui demeurèrent tout l'après-midi. Parmi eux, un Ukrainien démesuré et maigre à faire peur avec un long nez tordu et des dents ébréchées. Il avait apporté une gourde paillée contenant un alcool au goût bizarre qui vous incendiait les entrailles et vous embrumait le cerveau en un rien de temps. L'ayant goûté, Cyrille se leva et se mit à examiner le bois de la banquette.

— Qu'est-ce que tu fais ?

— Des fois que ce vitriol serait descendu tout droit pour faire le trou dans le siège !

Les autres se mirent à rire.

— Tant qu'on peut rigoler, observa Martin, c'est que la vie vaut le coup d'être vécue.

La fumée des pipes et des cigarettes envahissait l'espace. À cause du roulement du convoi et des grincements de ferraille et de bois, pour dominer aussi le piaillement des enfants, les hommes parlaient haut. L'excitation montait. On passait du rire à la colère. Charlotte Garneau se montra plusieurs fois par-dessus la demi-cloison pour crier :

— Vous énervez pas comme ça. Vous buvez trop, ça finira mal !

Cette large face pourtant toute en rondeurs pouvait se durcir. Les petits yeux noirs scrutaient les visages. Alors les plus grandes gueules se fermaient pour un moment. Et les autres pouvaient parler, tel ce nommé Billon que l'Ukrainien avait amené ici, comme s'il eût été soucieux de montrer son contraire. Court et large d'épaules, cet homme bien plus âgé que les autres flottait dans des vêtements rapiécés. Il parlait d'une voix grave, un peu éraillée.

— Pouvez croire, quand on voit les meubles éparpillés, puis la maison vendue et tout, ça vous remue. Une vie qui fout le camp en charpie.

Il allait sans colère. Ses mains courtes, aux ongles

ondulés demeuraient bien écartées sur ses genoux. Chaque articulation portrait une nodosité qui empêchait la totale extension des doigts. Son visage était lourd, avec beaucoup trop de peau que faisaient trembler les secousses du train. Les autres l'écoutèrent longtemps en silence. Ce qui les impressionnait, c'était sans doute ce qu'il portait de douleur résignée dans son regard noir, très mobile. Triste et paisible, quelque chose en lui était comme un muet appel à l'aide. Il arrivait que sa voix se mît à trembler comme s'il eût refoulé un sanglot. Cet homme n'était pas tout à fait comme eux. Il avait été patron. Avant d'être lui-même réduit à la misère, il avait sans doute mis ses ouvriers à la porte.

Dehors, la poudreuse volait. Elle s'accumulait dans les encoignures des vitres pour se détacher ensuite en longues baguettes. À côté, les enfants s'étaient calmés eux aussi. Une petite fille toussait rauque. Billon se moucha, s'essuya le nez et les yeux puis replia son mouchoir avant de reprendre :

— Des emprunts à neuf pour cent, c'est pas rien, pour un maçon ! Plus de chantier. Les clients qui payaient pas. La faillite, quoi !

Billon s'arrêtait souvent. Les mots avaient du mal à passer le goulot de sa gorge nouée. Ses lourdes paupières fanées battaient sur ses yeux brillants. Il revenait toujours au naufrage des petites entreprises :

— Des faillites, tu peux croire qu'il y en a !

Il hochait la tête, écrasé par son propre passé. Sa grosse moustache grise tremblait. Il se mordillait les lèvres et ses mains noueuses se pétrissaient l'une l'autre. Il alluma une courte pipe à large foyer. Une partie de la fumée montait de ses lèvres dans sa moustache pareille à un buisson où couve un feu humide.

Le convoi s'arrêta à une halte où des débardeurs

déchargeaient du bois. Leurs trois chevaux attelés en flèche fumaient, le dos couvert de vieilles bâches pisseuses. Cyrille ne put se contenir. Sautant du train, il courut vers les bêtes qu'il se mit à flatter.

Déjà, le chef de station sifflait. Cyrille bondit vers le quai et remonta dans son compartiment.

Les autres étaient en pleine confusion. Tous parlaient en même temps, chacun voulant raconter sa propre histoire ou celle d'inconnus encore plus malchanceux.

Un homme dans la quarantaine, nommé Rossel, avait tenté sa chance en partant. Il avait voyagé en fraude durant quelque temps comme les miséreux cachés dans les fourgons vides. Il en parla sans gêne. Et même, semblait-il, avec une certaine fierté. Il avait vu plus de choses que ceux qui l'écoutaient. Un monde différent, hors des normes de la société. Un tic curieux tirait sa bouche sur la gauche lorsqu'il prononçait certaines syllabes. Ses larges mains couvertes de poils frisés attiraient les regards.

Le convoi poursuivait sa route, brinquebalant dans un éparpillement de blancheur miroitante, de vapeur et de fumée noire. Le soleil jouant entre les résineux couchait sur la voie une barrière de rais argentés. Leur vibration sur les visages obligeait les gens à cligner de l'œil.

Dans le brouhaha des voix, un petit maigre s'époumonait :

— Moi, je veux plus rien savoir de ce qu'on a enduré. J'ai une fille de sept ans qui en est morte. Je la porte ici.

Il fit un grand geste de la main pour désigner son cœur. Les autres se turent. Tous les regards se tournèrent vers lui. Sur le coup, il sembla gêné de tant d'attention. Comme pour s'excuser, il dit qu'il se nommait David Fatin et qu'il avait travaillé à la voirie. Puis sa main droite se porta de nouveau à sa poitrine.

— Ma femme, c'est comme moi. Seulement, quand on

s'est embarqués pour ici, on s'est dit qu'on parlerait plus de nos malheurs. On a deux autres enfants. On veut leur faire une belle vie... Leur laisser de la terre.

Tous s'en allaient avec la volonté bien arrêtée de faire de la terre. L'expression revenait sans cesse. Et les regards se portaient vers l'extérieur. Entre les remous de fumée, de neige poudreuse et de vapeur, la forêt continuait de défiler avec ses rivières et ses lacs à moitié gelés.

L'ancien employé de la voirie tendait ses mains ouvertes pour montrer ses paumes saillantes et ses doigts courts recouverts de corne.

— Même si le bois est dur comme fer, on s'est juré d'en venir à bout. Ma femme, elle faisait la plonge chez Tonio. La besogne dure, ça la connaît aussi.

Ils reprenaient souvent la gourde de l'Ukrainien, absorbant cet alcool de feu à petites lampées. Les blagues à tabac passaient de main en main. Il y avait des moments de gros rire où Billon lui-même se laissait entraîner. Puis, pour un mot lancé ou un souvenir évoqué, l'émotion ou la colère les reprenait.

— Le drame, dit quelqu'un, c'est qu'on nous expédie là au début des froids.

Plusieurs voix se récrièrent. Il y eut une discussion générale qui frôla la dispute, puis Cyrille parvint à s'imposer. Il parlait d'une voix métallique, tranchante, au rythme saccadé. Il crachotait souvent et son regard s'allumait.

— Si on monte s'installer au printemps, le temps de défricher et de bâtir un campe, on perd une année. Nous autres, on aura tout l'hiver pour faire ça. Quand le moment viendra, on pourra déjà semer un petit peu.

Martin Garneau précisa :

— Faut abattre en hiver, et puis, déjà pour choisir les lots, vaut mieux le faire à présent, on voit mieux la terre.

Cette terre qu'on leur avait promise, ils la regardaient défiler de chaque côté de la voie. Elle était blanche et noire avec des coulées plus dorées à mesure que le soleil déclinait. Sans la bonne brûlure de l'alcool et l'excitation de la parole, une certaine angoisse les eût sans doute empoignés. Les femmes s'en défendaient mal.

Les stations se raréfiaient. Le froid augmentait. Personne ne descendait plus sur le quai durant les haltes. En bien des endroits le silence s'installait, pesant sur les poitrines.

Pourtant, dans le compartiment des Labrèche et des Garneau, les hommes continuaient de parler. Ils se voyaient déjà fermiers. L'alcool aidant, ils en arrivèrent vite à compter leurs vaches. Très fiévreux, Cyrille répétait souvent :

— Moi, quand j'aurai un bon train de trois chevaux, le bois, je vous en sortirai des tonnes à la journée.

Le seul qui eût approché la terre était l'Ukrainien. Enfant, il avait passé quelque temps à garder un troupeau. Mais il conservait la fierté de son premier métier, le vrai, qui étonnait les autres. Il avait été peintre en voitures. Il expliqua comment, à main levée, il peignait des filets très minces et parfaitement rectilignes sur les portières des landeaux, sur les rayons des roues. À Montréal où il avait épousé une fille abandonnée avec un enfant, il était devenu peintre en bâtiment.

— C'est toujours la peinture, fit Garneau.

L'Ukrainien le regarda en hochant sa tête osseuse surmontée d'une tuque de laine rouge et bleue.

— Tu peux pas comprendre, fit-il. Tirer un beau filet bien droit, c'est pas à la portée du premier venu.

À mesure que le train progressait vers le nord-ouest, la terre s'aplatissait. Lacs et rivières devenaient plus nombreux.

— Foutu pays, disaient certains. T'as que de l'eau !

— Tant qu'on t'oblige pas à la boire !

À une halte, Zacharie Gauzon, le prêtre de la colonisation qui s'était embarqué avec eux, changea de wagon et monta dans leur compartiment. Dès qu'il l'aperçut, l'Ukrainien fit disparaître son eau-de-vie à l'intérieur de sa vaste houppelande. Le curé était un garçon d'une trentaine d'années, avec un beau visage encadré d'un collier de barbe noire soigneusement taillé. Il fronça les sourcils sur ses yeux sombres, respira à petits coups, puis, tandis que le convoi se remettait en marche, il demanda d'un ton cassant :

— Qu'est-ce que vous buvez, par ici ?

Les hommes se regardèrent les uns les autres, l'air étonné. Ce fut Cyrille qui répondit :

— Ben, mon père, on voudrait bien avoir autre chose que de l'eau.

La voix se fit plus dure :

— Non seulement vous buvez une cochonnerie qui vous rendra malades, mais encore vous mentez. Croyez-vous qu'avec pareil esprit on a quelques chances de se créer une nouvelle patrie ?

À côté, les femmes et les enfants prêtaient l'oreille. Le curé se pencha un peu. S'adressant aux deux compartiments, il lança :

— Le grain ne lève que si le laboureur a semé en accord avec le bon Dieu. La moisson ne mûrit que si le moissonneur a l'âme assez pure. Lorsque le blé emplira vos greniers vous direz : « J'ai choisi la meilleure part... » Allons, chantez avec moi !

Se tenant d'une main à la demi-cloison, il leva l'autre, battit une mesure et attaqua :

— Plus près de Toi, mon Dieu, plus près de Toi...

Les femmes et les enfants le suivirent tout de suite, puis

les hommes qu'il foudroyait du regard. Sa main fine battant l'air semblait manier le fouet.

Bientôt la porte menant aux compartiments voisins s'ouvrit, des femmes et des hommes entrèrent qui se mirent à chanter également. Le cantique terminé, le prêtre les refoula du geste et s'en fut avec eux. La porte claqua derrière lui. Un long moment, il n'y eut plus que le roulement du convoi et le souffle de la locomotive. Puis les enfants et les femmes se remirent à jacasser. Garneau dit :

— T'as bien fait de cacher ta bouteille.

— Tu parles, il était capable de me la balancer par la fenêtre.

Certains approuvèrent, d'autres prétendirent que ce prêtre se montrait ainsi pour asseoir son autorité.

— Au fond, c'est pas un mauvais bougre.

— C'est comme sa barbe, c'est pour se donner de l'âge.

— Moi, je le trouve trop beau.

— C'est un fils de riches. Il a jamais manqué de rien, ça se voit.

— Moi je dis que c'est déjà plus courageux de venir avec nous que de rester en ville à prêcher pour faire partir les gens.

Ils se perdirent dans une controverse sur le rôle des prêtres et se remirent à boire, torchant d'un coup de paume le goulot avant de passer la gourde à leur voisin. Mais leur entrain était tombé.

L'approche du soir et la fatigue pesaient. Les enfants avaient cessé de rire. Il y eut quelques pleurs, des grognements et une dispute entre deux garçons. Élodie Labrèche essaya de rétablir l'ordre, mais sa voix était plus implorante qu'autoritaire. Celle de Charlotte Garneau s'éleva, imposante :

— M'en vas passer aux gifles, si ça s'arrête pas !

De sa place, Cyrille lança :

32

— Et si ça suffit pas, je vais me déplacer !

Le silence se fit.

Entre les résineux de plus en plus chétifs, de larges plaies de sang s'ouvraient. Le ciel, dans les hauteurs, tournait au vert glacial. Plus près de l'horizon, il s'empourprait. La forêt devenait d'un beau noir velouté où flottaient çà et là des buées violettes. Une angoisse montait. Se coulant entre les êtres, elle les séparait l'un de l'autre ; elle les étreignait, poussant en eux le froid de la nuit. Leur première nuit au Royaume du Nord.

3

L E chemin de fer transcontinental avait été achevé au début du siècle, durant les années de prospérité. Il reliait l'Atlantique au Pacifique. Il avait ouvert l'accès à des terres nouvelles. Puis, lors de la grande crise économique, le transcontinental était devenu pour des milliers et des milliers de malheureux, la voie de la dernière chance.

Les longs convois aux fourgons souvent cadenassés même lorsqu'ils étaient vides, s'étaient chargés d'hommes en guenilles. Accrochés aux poignées, cramponnés aux marchepieds, à cheval sur les tampons, à plat ventre sur les toits. Transis ou brûlés par le soleil, fouettés par le vent et les averses, ils se laissaient emporter, avec la seule idée d'aller le plus loin possible. Venus de nulle part ils allaient n'importe où. Ceux des provinces de l'Ouest croyaient trouver de l'embauche du côté de Québec ou de Montréal, ceux qui venaient de l'Est roulaient avec l'espoir qu'un homme courageux pouvait encore gagner son pain vers Edmonton, Vancouver ou Calgary. Les chômeurs de Winnipeg et des villages du Centre hésitaient entre les deux directions. Tous finissaient par revenir pour repartir de nouveau. D'un camp de secours direct à une soupe populaire, d'un bidonville à une remise abandonnée, ils se croisaient sans cesse, prêts à prendre n'importe quel chemin pourvu qu'il ne les ramène pas chez eux. Car, encore plus que le désespoir, les habitait la honte de n'être pas capables de nourrir leurs enfants.

D'une rive à l'autre de l'immense pays où les usines une à une fermaient leurs portes, regardant au passage les hautes cheminées qui ne fumaient plus, les cours où l'herbe poussait entre les pavés, ces hommes qui avaient été de rudes travailleurs fuyaient le vide où les avait plongés la perte de leur emploi. Mendiant un trognon de chou, se volant un mégot, capables de se battre pour deux sous, ils allaient pour aller, traqués par le vent du malheur qui s'était levé sur le pays tout entier.

Ainsi, le grand chemin de fer de la fortune s'était métamorphosé en convoi de l'espoir pour devenir bien vite le train de la honte et parfois de la mort. Car des hommes mouraient d'épuisement, de faim, d'accident, de coups reçus par les gardes de la compagnie. Armés de gourdins, ces gens qu'on appelait des bœufs, avaient été recrutés parmi les plus robustes chômeurs. La faim les poussait à accepter de cogner sur leurs semblables pour leur interdire de faire ce qu'ils avaient longtemps fait eux-mêmes et feraient peut-être demain si la compagnie ne pouvait plus les payer.

Toutes les maisons de commerce et les fabriques subissaient cette grande dépression. Nul n'était à l'abri du fléau.

À regarder ces trains surchargés de grappes humaines, on pouvait se demander si le monde ne venait pas d'être atteint par un mal mystérieux, pareil aux famines et aux épidémies des siècles passés. Les trains interminables ne semblaient plus rouler que pour charrier ces malheureux du levant au couchant et du couchant au levant dans un mouvement de pendule dont nul signe n'indiquait qu'il dût cesser un jour. Très vite, les gardes-trains, les conducteurs, les serre-freins et les bœufs se lassèrent de la chasse aux affamés. Les convois se firent moins nombreux. Autre signe de la grande crise : le transcontinental lui-même se mit à vivre au ralenti. Et cette voie que l'on avait tant peiné à tracer de montagne en forêt, commençait de verdir comme si la prairie eût lentement regagné la terre sur le travail des hommes.

Personne ne comprenait rien à cette agonie du pays. Dans les vastes plaines, le blé pourrissait sur les quais d'embarquement de toutes les gares tandis que les cités manquaient de pain. Aux Communes, les députés s'échinaient à dénoncer l'absurdité. En Abitibi, entre les paroisses de Senneterre et de la Reine, sur le passage du transcontinental dont on avait été si fier, on comptait plus de cent mille cordes de bois de pulpe prêtes à être expédiées et qui seraient bientôt perdues faute de transports. Dans le même district, trente millions de pieds de bois de sciage attendaient. Certains continuaient d'abattre. D'autres achetaient à vil prix. Ceux qui possédaient encore de l'argent spéculaient sur la misère dans l'espoir d'une reprise.

Les uns accusaient l'administration des chemins de fer, les autres s'en prenaient aux industriels, aux financiers et aux hommes politiques.

Et ceux qui avaient tant peiné à la construction, les premiers colons installés sur les terres du Nord, les pionniers des cités et des mines voyaient arriver chez eux les miséreux venus du Sud, et se demandaient parfois si la ligne qui leur avait ouvert ces provinces d'espérance n'allait pas aujourd'hui leur apporter le germe du mal qui commençait à ravager les grandes métropoles.

4

I L était plus de six heures du soir lorsque le train ralentit
pour entrer en gare de Saint-Georges-d'Harricana.
Un homme grogna dans la pénombre :

— Deux heures de retard.

— Paraît que des fois, c'est deux jours.

Les enfants s'étaient endormis depuis longtemps. Avec
le crépuscule, les adultes avaient fini par se taire, à court
de récits, abrutis de fatigue. Rencognés contre les vitres
glacées, les hommes avaient cessé de gratter le givre
déposé par les respirations. Une épaisse couche de neige
s'était accumulée à l'extérieur et plus rien n'était visible de
l'interminable forêt noyée d'ombre.

Les tampons s'entrechoquèrent, il y eut des secousses
puis, aussitôt, les premiers jurons des hommes cognant du
pied dans les portières coincées par le gel.

— Merde! On va pas rester là-dedans, braillait
l'Ukrainien. Ma gourde est vide!

Aussitôt, des enfants hurlèrent.

— Gueule pas comme ça, tu fais peur aux petits!

Cyrille qui avait gagné le compartiment des femmes
réussit à ouvrir et sauta sur le quai dont le platelage sonna
sourd comme un pont. Le mauvais alcool avait laissé en

lui un résidu pâteux et il accueillit avec plaisir le vent froid portant l'odeur d'un feu de bois.

Par-delà les deux bâtiments de la station, la nuit poussait déjà sa plainte vers des lointains où s'effilochaient encore de vagues lueurs. Accrochées à des potences de métal, quatre grosses lanternes se balançaient. Leurs lueurs jouaient sur la façade de bois. Tout au long des wagons de voyageurs, les gens se passaient les sacs et les paquets. Ils se tendaient aussi les enfants endormis ou pleurnichant. Les mères grognaient :

— Tiens-toi !

— Fais un effort. Moï aussi je suis fatiguée.

— Allez, réveillez-vous. On va pas vous porter, tout de même !

Le quai de planches était glissant. On y voyait mal. Le chef de gare allait de place en place en brandissant une lanterne à réflecteur.

— Et nos meubles ? demandèrent plusieurs femmes inquiètes.

— On va décrocher le fourgon. Vous aurez trois jours pour décharger. Ceux qui veulent laisser des valises à la gare, ça risque rien.

Nul ne voulait se séparer du moindre bagage. Leur pauvre avoir était si précieux qu'ils préféraient se charger comme des mules et peiner sous le faix.

Sorti de sa torpeur, Cyrille s'énervait. Il recompta trois fois les paquets. Il ne cessait de répéter à Martin Garneau plus calme que lui :

— Faut qu'on se tienne ensemble.

Il poussait les enfants contre les femmes comme s'il eût redouté qu'ils ne remontent dans un wagon.

Balançant sa lanterne, le chef de gare passa entre les gens et le convoi.

— Écartez-vous, on va manœuvrer. Écartez-vous. Tenez les enfants !

— De quel côté on s'en va ? demanda Cyrille.

— Par là-bas !

L'homme fit un geste de sa main libre par-dessus son épaule.

— On va se porter en avant, dit Cyrille. Y a toujours des bonnes places et des mauvaises. Faut avoir l'œil. Le premier qui en repère une, y se précipite.

Il se sentait soudain habité d'une fièvre qui le faisait frissonner. C'était un peu comme si tout ce qui l'entourait eût manifesté de l'hostilité. La nuit froide habitée de vent était rude à porter.

La locomotive fut secouée d'un énorme tremblement, elle souffla rugueux et siffla fort. Un épais nuage de fumée et de vapeur mêlées s'abattit sur les gens tandis que le convoi reculait lentement.

Entraînant son monde, Cyrille Labrèche se coula entre les groupes et la façade de la gare. Sous une lanterne, le prêtre barbu s'entretenait avec un petit curé maigre et remuant. Les voyant passer, le petit curé lança :

— Ne partez pas sans nous !

Puis, s'adressant à l'abbé Gauzon :

— Je vais prendre la tête. Tu resteras en queue. Non, non, laisse-moi tes bagages, tu trouveras bien des gens à aider.

Empoignant les deux sacs et la grosse sacoche du barbu, il se dirigea vers l'extrémité du bâtiment. Le groupe formé par les Labrèche et les Garneau lui emboîta le pas, aussitôt suivi par le reste de la troupe. Le petit curé qui ne portait qu'une soutane légère et un bonnet semblait insensible au froid. Se retournant et se haussant sur la pointe des pieds, il cria :

— Suivez bien ! Attention où vous marchez. Le chemin n'est pas bon.

La colonne s'ébranla. Loin le long de la voie, la lanterne du chef de train était comme une étoile minuscule cherchant sa place dans la nuit insondable.

Les vingt ménages se mirent à progresser lentement, avec toujours les cris des enfants, les pleurs et quelques petits rires.

De chaque côté du chemin descendant, on devinait d'énormes piles de grumes et de planches. La neige en dessinait les contours. Le vent les franchissait en miaulant, puis se laissait tomber en gifles lourdes sur les marcheurs incertains et chancelants. La neige durcie, la glace des ornières et des flaques craquaient sous les semelles. Il y eut quelques chutes accompagnées de jurons. Une valise s'étant ouverte en tombant, toute la troupe dut piétiner un moment. Sans savoir à qui il s'adressait, l'Ukrainien gueula :

— Toujours les mêmes. Tu peux pas te payer un porteur, comme tout le monde !

Il y eut moins de rires que de grognements.

Le nordet cinglait. En contrebas, des lumières clignotaient, étirant des reflets sur les eaux invisibles de l'Harricana.

Le chemin tourna vers la gauche. Cessant de descendre, il se mit à suivre la rive où l'on devinait des arbres inclinés sur un fouillis de buissons. Le vent y menait sa vie nocturne, un peu inquiétante.

Ils atteignirent enfin un long baraquement de planches dont les fenêtres alignées laissaient couler sur le sol blanc et noir des lueurs vacillantes. À leur approche, la porte s'ouvrit. Trois femmes et un homme étaient là qui s'écartèrent pour leur livrer passage.

— Ne vous bousculez pas ! lança le petit curé. Y a place pour tout le monde.

Cyrille Labrèche entra le premier, suivi de Martin. Les deux femmes sur leurs talons. Élodie portait sur son bras le petit Jules qui s'était rendormi, la tête enfouie entre la tuque et le cache-nez de sa mère. Les deux aînés s'accrochaient à son manteau. Cyrille lança un regard d'inspection. La bâtisse était partagée par des toiles à bâche accrochées à des fils de fer tendus en long et en travers. Ainsi se formaient une trentaine de compartiments dont chacun devait mesurer à peu près cinq mètres sur trois.

— Là-bas ! lança Labrèche, on sera tranquilles.

Les deux hommes se hâtèrent vers le fond du baraquement.

— On prend ces espaces-là, ordonna Cyrille. On se met n'importe comment. Après, on s'organisera.

Déjà les autres se précipitaient. L'Ukrainien, sa femme et leur garçon s'installèrent en face des Labrèche. Montrant la case voisine à l'ancien maçon et à son épouse qui semblait à bout de forces, Koliare dit :

— Foutez-vous là.

— C'est bien, observa Garneau, on connaît déjà nos voisins, on se fera pas la guerre pour les frontières.

L'abbé Gauzon qui venait d'entrer arriva en criant :

— Sortez de là ! Attendez qu'on vous place !

Garneau souffla à Labrèche :

— Faut pas qu'on se laisse faire.

Les quatre hommes se rapprochèrent l'un de l'autre pour se donner du courage. Crachotant déjà de colère, Cyrille prit les devants :

— On sème pas le trouble, mon père, on voudrait rester ensemble.

— On se connaît, fit Koliare.

— Ça fait de mal à personne ! dit Garneau.

Le prêtre semblait très mécontent. Se plantant devant eux, il se dressa de toute sa taille.

— Personne ne choisit sa place. C'est moi qui répartirai. Toutes les places sont bonnes.

— Alors, fit Victor Billon, on voit pas pourquoi on prendrait pas celles-là.

Le petit curé qui les avait accueillis à la gare les rejoignit. Prenant le bras de son confrère, il le tira doucement en disant :

— Laisse faire. La place ne manque pas. Tout se passe toujours très bien. Les gens du comité d'accueil ont l'habitude. Ils vont s'occuper de tout. Va te reposer près du feu.

Le jeune prêtre hésita. Il regarda le curé de Saint-Georges beaucoup plus âgé que lui, dont le visage exprimait à la fois la tendresse et l'autorité. Serrant les dents sur sa colère, il enveloppa les quatre hommes d'un regard dur. Suivant à regret le petit curé il marmonna :

— Je voulais séparer ceux qui boivent. Ils ne sont pas faciles. Tu verras.

— Ne t'inquiète pas. Tout ira bien.

Un moment indécises, les femmes prirent possession des locaux. Les bâches montées sur des anneaux pouvaient coulisser jusqu'à fermer complètement chaque compartiment. Il y avait deux lits par case plus des paillasses que l'on pouvait dérouler sur le plancher pour les enfants.

— Mon Dieu ! se lamentait Élodie, où va-t-on bien caser nos meubles ?

Une femme du comité d'accueil intervint :

— Vous faites pas de bile, y a une bâtisse à la gare pour les remiser en attendant.

— En attendant quoi ? lança Koliare.

La femme du comité, qui était presque aussi longue et sèche que lui, le toisa en répliquant :

— En attendant que tu trouves le courage de te construire un campe. Si t'as autant de force que t'as l'air d'avoir de gueule, ça devrait pas traîner.

L'Ukrainien se mit à rire. Les autres n'en avaient plus la force. Les enfants somnolaient ou pleurnichaient, effondrés sur des paquets de linge. Les femmes se bousculaient. Elles regardaient cet intérieur sinistre, l'air effrayé. Pour toute la longueur du bâtiment, il n'y avait que quatre suspensions de fer portant des lampes à pétrole aux verres noircis. Leur clarté ne pénétrait pas jusqu'au fond des compartiments où il fallait ranger presque à tâtons. On entendait des disputes pour une place jugée meilleure qu'une autre.

— Dire qu'y en a qui ont encore le courage de s'engueuler, grogna Billon.

La femme du comité consolait les enfants. Elle avait pris un tout-petit sur son bras et le berçait doucement en marchant dans l'allée centrale, au gré des déplacements des hommes occupés à transporter des valises. Son visage anguleux était éclairé par un beau regard chaud, tout plein de compassion. Elle dit :

— Ceux qui s'endorment, vaudrait mieux les coucher dès que les lits sont faits. Ils mangeront mieux demain matin.

Tout s'organisait. Des baluchons défaits sur les matelas et des valises ouvertes par terre, on sortait le bric-à-brac de ce qu'on avait emporté de plus précieux. Le reste était avec les meubles. Ici, le missel côtoyait la casserole cabossée, la bouilloire était enveloppée dans un collet de fourrure élimé, témoin de temps meilleurs. Charlotte Garneau préparait le lit de son aîné en s'efforçant de cacher les reprises et les pièces de ses draps.

43

Dès que le passage central fut libre de tout bagage, le curé de Saint-Georges battit des mains et cria :

— Tous les chefs de famille viennent se faire inscrire !

Lentement, les hommes se dirigèrent vers la porte où une petite table était installée. Habitués des longues files d'attente, ils s'alignèrent sans hâte. Ils se mirent à bavarder en se passant leurs blagues à tabac. Les deux prêtres s'étaient assis, encadrant l'homme du comité que l'abbé Gauzon désigna en expliquant :

— M. Faivre est notre agent des terres. Demain, c'est lui qui vous attribuera les lots. M. Faivre a la gentillesse de présider aussi le comité d'accueil. C'est donc à moi ou à lui que vous devrez vous adresser pour tout.

Les premiers qui se firent inscrire étaient des gens de Québec. Dès le départ, ils avaient constitué un petit clan bien soudé. Ils s'étaient installés à l'autre extrémité du bâtiment.

Après eux, Garneau s'avança contre la table où était ouvert un grand registre avec ses deux colonnes du doit et de l'avoir.

— Garneau Martin, trente-six ans. Confiseur de métier. J'étais chef chez Brassus.

— Ta femme ?

— Charlotte, trente-cinq ans. Elle était à la maison.

Faivre inscrivit : sans profession.

— Enfants ?

— Quatre. François, quatorze ans, apprenti dans la maison où j'étais. Paula, six ans. Denise, quatre. Laurence, trois.

— Tu sauras peut-être encore faire les dragées quand elles se marieront.

Faivre devait avoir une quarantaine d'années. Son crâne dégarni sur le devant luisait comme un marbre dans un nid de cheveux blancs frisottés. D'énormes sourcils gris et une épaisse moustache barraient son visage sanguin.

— Suivant !

— Labrèche Cyrille, trente ans. J'étais livreur de charbon. Je connais bien les chevaux et je crains pas le travail pénible.

— Tant mieux. Personne vient ici pour se prélasser... Ta femme ?

— Élodie, vingt-six ans. Elle était à la machine dans un atelier de couture.

Faivre inscrivit : couturière.

— Trois enfants. Clémence, cinq ans. Paul, quatre et Jules, deux ans... si y faut faire du charroi, pouvez m'appeler...

L'abbé Gauzon l'interrompit :

— Demain, mon ami. Vous verrez ça demain.

L'Ukrainien s'avança.

— Je m'appelle Koliarewski Mikhaël Ivan Ivanovitch.

— Eh ! Doucement ! C'est compliqué.

— Ben, tout le monde m'appelle Koliare. Koliare Michel.

— J'aime mieux ça... Avec un K ?

— Oui, comme ça.

Le grand maigre s'était cassé en deux et se tordait le cou pour voir le registre.

— Je sais lire et écrire.

— Je veux bien te croire, mais c'est pas à ça qu'on va t'occuper.

Comme Koliare se redressait, l'agent des terres fronça ses épais sourcils.

— Dis donc, c'est pas du petit lait, que t'as bu dans le train. Tu pues l'alcool. Faudra te tenir, hein !

— Ils sont plusieurs à boire, renchérit le curé barbu. Je ne voulais pas qu'ils soient ensemble...

Le grand Ukrainien lança :

— Je bois peut-être, mon père, mais je suis jamais saoul. La preuve.

Écartant ses voisins d'un large geste, il empoigna l'une de ses jambes qu'il leva presque à la verticale le long de son corps. Dans cette position, il quitta sa tuque, libéra une longue chevelure presque blanche et lança :

— Mon père, le jour où vous verrez un homme saoul faire comme ça, vous me le présenterez.

S'étant remis sur ses deux pieds, il reprit :

— Ma femme, c'est Jeanne. Elle est de Montréal. Elle était vendeuse chez Eaton's. Notre garçon, c'est Antoine, il a dix ans.

Les trois hommes regagnèrent lentement le fond de la baraque, rattrapés bientôt par Billon qui leur dit :

— Je crois qu'avec le curé, on s'est pas fait un ami.

— Et alors, lança Labrèche, qu'est-ce que ça fout ! On est venus ici pour faire de la terre, pas pour être sacristains.

Les femmes avaient achevé les lits où dormaient déjà les plus petits. Elles empilaient leurs affaires sur des rayonnages. Charlotte Garneau qui semblait aussi forte de caractère que d'épaules s'était vite arrangée de son fourbi et de sa literie. Puis elle avait pris en main l'installation des Labrèche, donnant à Élodie des ordres bien plus que des conseils.

— Ne mets pas tes serviettes en bas, les petits vont te les cochonner.

— Mon Dieu, soupirait Élodie, c'est tout de même pas une vie ! Si ma pauvre mère me voyait !

Cyrille qui arrivait l'interrompit :

— T'inquiète pas. Quand on aura une grande ferme, elle en bavera d'envie, ta vieille !

Élodie, que le travail dans le terrible atelier de couture avait déjà éloignée de son enfance passée dans le tiède cocon d'une arrière-boutique de tailleur, semblait perdue parmi ces gens beaucoup plus aptes qu'elle à s'accommoder de tout. Elle avait des gestes plus lents que les autres femmes, moins adroits aussi. Jeanne Koliare, petite brune bien faite, à l'œil vif et au visage rond, avait achevé sa propre installation. Elle vint aider également.

La lueur des lampes vacilla et un courant d'air froid arriva jusqu'au fond du bâtiment. Il y eut un grand remuement du côté de la porte et quelques cris.

— C'est sûrement le manger, dit l'Ukrainien, faut pas traîner.

À peine un mouvement s'était-il amorcé en direction des tables que la voix de l'abbé Gauzon se faisait entendre :

— En ordre, s'il vous plaît ! On servira quand tout le monde sera aligné et que le silence sera parfait.

Trois hommes et une femme venaient d'entrer, portant deux corbeilles et deux chaudrons à couvercle de cuivre.

— Le grand sur le fourneau. Posez l'autre au bout de cette table.

La femme ordonnait d'une voix tranchante. Son visage dur était éclairé par un regard bleu qui semblait tout embrasser d'un coup. Un foulard noir à ramages blancs enserrait sa tête. Dessous, on devinait un chignon. Sur les tempes, s'échappaient des mèches grises.

Lorsqu'elle souleva le couvercle, la buée l'enveloppa. Une forte odeur de lard fumé envahit l'espace. Le silence s'était fait. Deux files s'étaient formées dans les deux allées. Les gens se mirent à avancer un à un, tendant des ustensiles allant de l'assiette ébréchée à la casserole de cuivre en passant par le bol, la gamelle militaire ou la poêle à frire. Quand une mère tendait un grand récipient, la femme qui servait avec un gros pochon demandait :

— Combien ?

— On est quatre.

Elle comptait quatre louches et en ajoutait la moitié d'une.

— On est trois, dit une mère, plus un petit qui dort.

— Qui dort dîne, fit la femme au foulard et au regard clair.

Quelque chose de dur émanait de son visage et imposait silence.

Les hommes distribuaient un chanteau de pain et une petite saucisse par personne. Dès qu'ils étaient servis, tous allaient s'asseoir à l'une des deux grandes tables. Les mères partageaient la soupe aux fèves très épaisse.

L'abbé Gauzon frappait dans ses belles mains blanches en répétant :

— Personne ne commence à manger !

Petits et grands regardaient les assiettes où la nourriture refroidissait. Enfin, lorsque la dernière femme servie eut trouvé place, le prêtre dit :

— Répétez après moi : Seigneur, bénissez le repas que nous allons prendre... Seigneur, nous te remercions de nous l'avoir donné... Vous pouvez vous asseoir.

Quand tout le monde fut assis, un grand silence se fit, troublé seulement par le raclement des cuillères et une sorte de bruit curieux, fait par toutes ces bouches aspirant la soupe.

5

L<small>A</small> lune à son plein noyait la ville et le fleuve sous sa lumière glacée. Bon nombre de fenêtres étaient déjà éclairées et leur clarté faisait tache sur les ombres des maisons.

Derrière le petit curé de Saint-Georges qui semblait décidément ignorer le froid, et l'abbé Gauzon emmitouflé de laine jusqu'aux yeux, les hommes quittèrent le bâtiment d'accueil. Leur file s'étira sur le sentier de la rive. Les semelles sonnaient. Les bouches fumaient dans l'air limpide. Les mains dans les poches, la tête rentrée entre les épaules, les colons marchaient légèrement courbés en avant, le visage tourné à l'opposé du vent. La plupart d'entre eux étaient en vêtements de ville. Deux ou trois avaient des passe-montagnes de laine, d'autres des écharpes, quelques-uns des manteaux.

Martin Garneau portait une grosse veste et une casquette, Billon serrait devant son visage le col d'une vieille limousine fourrée. Cyrille Labrèche avait revêtu sa grosse veste de charbonnier renforcée sur les épaules et élimée par le frottement des sacs. Ils allaient en hommes que plus rien ne presse. Avant de sortir, ils avaient bu du thé brûlant et mangé du pain noir dont ils avaient tous mis quelques tranches dans leurs poches avec un gobelet et une cuillère qu'on leur avait recommandé d'emporter.

La veille, on leur avait annoncé que les lots seraient affectés par tirage au sort. Il n'y eut donc aucune précipitation lorsqu'ils arrivèrent devant le bureau de la colonisation. Tapant leurs chaussures contre le seuil, ils entrèrent à la queue leu leu. La maison était neuve, avec un bon soubassement de maçonnerie portant des murs faits d'une double épaisseur de planches en chevauchement.

Lucien Faivre, les cheveux en bataille autour de son crâne luisant, était assis derrière une longue table chargée de dossiers, de fichiers, de cartes roulées et de registres noirs à tranche rouge. Le petit curé de Saint-Georges alla se planter à côté du poêle qui pétillait, la gueule ouverte sur sa flamme neuve. Il se mit à bourrer une courte pipe recourbée qu'il alluma avec une brindille. L'abbé Gauzon déroula un cache-nez, puis un autre, retira son bonnet et alla frotter ses mains au-dessus du feu. Il prit ensuite une chaise qu'il tira à côté de Faivre. Il s'assit, posa ses énormes mitaines sur la table avec toutes ses laines et s'accouda en regardant les colons comme pour les dénombrer. Un temps passa avec juste le raclement des semelles sur le plancher. L'agent des terres observa les hommes un moment en lissant de l'index son énorme moustache, puis il dit :

— Pour ceux qui chiquent, y a des crachoirs près de la porte. Y a pas de sièges pour tous, mais ce sera pas long. Pour vous faire gagner du temps, le comité a procédé au tirage des lots hier au soir, en présence de M. le curé et de l'abbé Gauzon.

Il y eut un murmure à peine perceptible. Le curé ne broncha pas. Son jeune collègue, qui avait opiné d'un sourire plein d'onction aux propos de Faivre, fronça les sourcils en levant les yeux vers les colons. Comme son regard croisait celui de Cyrille, l'ancien charbonnier éprouva une sensation de malaise. Le petit curé toujours debout à côté du fourneau précisa :

— Comme il y a déjà des gens de Québec sur le rang deux, c'est moi qui ai demandé qu'on tire en deux fois, de manière à ne pas séparer ceux qui se connaissent. Si quelqu'un y est opposé, qu'il le dise.

Personne ne broncha, mais Gauzon ne semblait pas priser beaucoup cette formule. De sa grosse voix bourdonnante, l'agent des terres reprenait :

— Toutes les parcelles se valent. On donne que de la bonne terre. La seule différence, c'est dans l'éloignement. Mais quand les chemins seront bien faits, ce sera pas une affaire.

Cyrille se pencha vers Martin pour souffler :

— Y tourne autour du pot. Sûrement qu'ils ont manigancé une saloperie.

Faivre s'était levé en prenant sur son bureau un rouleau de papier. Il s'approcha du mur et marqua un temps. Puis, tenant le rouleau par un bout comme s'il se fût préparé à diriger une chorale, il dit :

— À propos des chemins, faut savoir une chose : c'est les colons qui doivent les ouvrir. Le gouvernement leur donne le bois qu'ils coupent dessus, mais ils doivent ouvrir et mettre le sol au net. Après pour empierrer, on se charge du charroi et vous faites la mise en place.

Le curé qui l'avait rejoint l'aida à dérouler la carte et à la fixer au mur avec des semences piquées dans de petits carrés de carton gris. De son gros doigt court, l'agent des terres montra des rectangles numérotés. Ceux du bas étaient hachurés. Les désignant, il dit :

— Ça, c'est ce qui est déjà occupé sur le rang deux. Le ruisseau passe là

Son index suivit un trait bleu qui sinuait en travers de la feuille.

— Donc, pour les gens de Québec, on a tiré ce qui restait là. Ça finit le rang et ça fera une paroisse. Ça s'appelle Val-Morin.

Prenant un autre rouleau ils le plaquèrent sur le premier et le fixèrent de la même manière. Faivre dit :

— Ça, c'est le rang trois. Aucun lot n'est donné. (Il rit.) C'est un rang tout neuf qui a pas encore de nom.

Sa main désigna un trait bleu sinueux sur le bord gauche de la feuille.

— Voilà la rivière Harricana.

Un colon demanda :

— Ceux qui seront de l'autre côté du rang, comment ils auront de l'eau ?

— De toute manière, faut creuser des puits. En été, l'eau des rivières est pas bonne. Mais pour le bétail, c'est pas bien loin de le mener boire.

Il interrogea les prêtres des yeux, puis s'étant donné le temps de couper une chique et de la mouiller, il reprit :

— Bon. Puisqu'on a le trois sous la main, on commence par lui. Vous avez donc dix lots.

Sa main monta plus haut que le plan pour désigner des immensités inconnues tandis qu'il expliquait :

— Un jour, on agrandira sûrement en poussant plus au nord, pour l'heure, le sol a pas encore été étudié plus loin que ça.

Sa main redescendit lentement, en faisant un bruit de râpe sur le papier.

— Tout ça, mes amis, vous pouvez me croire, c'est de la fameuse terre. C'est moi qui ai fait les prélèvements pour les analyses. Ceux qui voudront voir les comptes rendus, je les tiens à leur disposition.

Son doigt pointa sur les rectangles du bas, celui qui était à gauche de la feuille, du côté de l'Harricana.

— Lot numéro un, lança-t-il.

Le curé barbu resté à la table plongea le nez dans un registre et répondit :

— Billon Victor.

Le doigt monta d'une case.

Cyrille se pencha vers Garneau pour souffler :

— Je te parie que nous autres, on sera pas sur la rivière.

— Commence pas à râler sans savoir, fit l'ancien confiseur.

Le doigt monta.

— Lot numéro trois !

— Florent Richard.

Après chaque nom il y avait un silence. Les regards cherchaient l'homme désigné qui levait la main un instant, comme gêné de se trouver parmi les premiers servis.

— Lot numéro cinq !

— Garneau Martin.

L'agent des terres eut un gros rire.

— Le confiseur tombe en plein milieu, y pourra faire des bonbons pour tout le monde.

Les hommes étaient trop tendus pour se laisser aller à la joie. Ils étaient venus là sans inquiétude, comme rassurés de savoir leur sort confié au hasard d'une loterie, et puis, à présent, tous attendaient avec une raison particulière d'anxiété. Les uns redoutaient d'être séparés d'un ami, d'autres fixaient le trait sinueux du fleuve comme s'il eût été une garantie de qualité pour leur vie future. Pour ces gens des villes, la terre était un mystère épais. Chacun cherchait à lire un signe, un clin d'œil de la chance sur cette carte sommaire où rien n'avait de signification.

Les lots sept et neuf allèrent à Pierre Lafutaie et Alfred

Pinguet qui se connaissaient bien. Cyrille qui les avait vus, à deux reprises, s'entretenir avec le curé barbu se sentit confirmé dans sa conviction que tout était truqué : ces deux-là se trouvaient au bord du fleuve, et côte à côte.

Comme fatiguée, la main de Faivre retomba. Puis elle se porta de nouveau vers le plan, sur la colonne de droite.

— Lot numéro deux !

— Rossel Ferdinand.

— Lot numéro quatre.!

— Koliare Michel.

L'Ukrainien se tourna vers Cyrille. Son regard semblait dire : « Tu vas voir, ça va être à toi. » Et, en même temps, on y lisait une grande inquiétude.

Lorsqu'il entendit que le lot six, en face de Garneau, était affecté au gros Mélançon, Cyrille se sentit comme brûlé. Il dut serrer les dents pour ne pas crier que tout était machination.

— Lot numéro huit !

— Labrèche Cyrille.

Garneau lui donna un coup de coude :

— T'es presque en face de moi.

Koliare s'approcha pour dire :

— On est pas bien loin.

— Dixième lot !

— Fatin David.

Comme on allait procéder à la distribution des lots sur le rang deux, presque tous ceux qui étaient servis sortirent pour pouvoir parler. Garneau empoigna Labrèche par le bras et le secoua en disant :

— Qu'est-ce que t'as, tonnerre, on dirait que t'es pas content !

Cyrille ne dit pas : « j'aurais aimé m'engueuler avec ce curé de merde ». Il repoussait cette pensée. Il grogna :

— Moi et Michel, ils nous ont foutus du côté où y a pas de flotte. Et séparés...

L'Ukrainien l'interrompit :

— Exagère pas, si c'était truqué, y en a un de nous trois qui serait sur l'autre rang.

— Et ça, observa Garneau, on le doit sûrement au petit curé d'ici qui a pas l'air mauvais du tout.

Le jour se levait. Un soleil tout rose soulevait la respiration bleutée des bois, là-bas, par-delà le fleuve fumant. Tout en parlant des lots et en organisant déjà leur existence, les hommes scrutaient la petite cité. Des maisons de bois rond s'alignaient de chaque côté d'une rue large où des ornières boueuses marquaient de leurs sillons tortueux la première neige. De chaque côté, couraient des trottoirs de planches surélevés.

Le gros Mélançon lança :

— Certain que nos femmes vont faire une drôle de tête quand elles iront dans les magasins.

— T'inquiète pas, fit l'Ukrainien, y aura toujours de quoi remplir ta bedaine.

Les commerces étaient des baraquements du même type que les habitations. Seul le Magasin Général dominait. Toute la cité semblait s'être organisée autour de ses deux grosses bâtisses aux planches peintes d'un beau rouge lumineux. Il y avait, au-dessus des vitrines, des lettres blanches de vingt pouces de haut surmontant chaque devanture : Magasin Général Robillard. Au-dessus des portes en caractères plus petits, on lisait : Comestibles. Cordonnerie. Outillage. Tissus à la verge. Vêtements. Laverie. En retrait, un troisième bâtiment tout en longueur, construit en bois rond avec de toutes petites fenêtres, portait seulement le nom des propriétaires.

— C'est sûrement les réserves, observa Billon. Si c'est plein, peut tomber de la neige sur la voie, on manquera de rien.

Ils contemplaient tout cela avec admiration et un peu d'envie.

Plus loin, un artisan avait cloué un énorme sabot au-dessus de sa porte. Il était occupé à fendre des billots sous un auvent où son bois s'empilait. Les coups de hache claquaient sec et leur écho se multipliait de baraque en baraque.

Un fardier chargé de billes écorcées tiré par quatre chevaux énormes monta en direction de la gare. Les pas des bêtes et le roulement des larges bandages ferrés tenaient tout l'espace de l'aube. Les bêtes fumaient. L'ancien charbonnier grogna :

— On m'offrirait de l'embauche comme charretier, je leur dirais que leur terre, y peuvent se la foutre au cul !

— Pauvre de toi, fit Koliare, de l'embauche, y en a sûrement pas plus ici qu'ailleurs. Sinon, ça se saurait. Et tu verrais les bougres rappliquer à pleins wagons.

— Laisse-le ronchonner, fit Garneau. Hier, y jurait ses grands dieux qu'y travaillerait plus jamais pour un patron !

Le fardier disparut derrière une bâtisse. Cyrille resta un moment à contempler la rue vide. L'odeur des chevaux était venue jusqu'à lui. Encore furieux d'il ne savait trop quoi, il dit :

— C'est peut-être pas truqué, n'empêche que le rang deux doit être meilleur, c'est à l'est au lieu d'être au nord. Puis, comme y a déjà du monde, le chemin doit être fait.

Agacé, Garneau lança durement :

— Tais-toi, t'as la maladie de la rouspétance...

Il fut interrompu par l'abbé Gauzon qui lança depuis le seuil :

56

— Ceux du rang deux montent à la gare décharger leurs meubles. Ceux du trois le feront demain matin. Pour le moment, M. Faivre va nous montrer les lots.

L'agent des terres qui avait coiffé une grosse tuque de laine beige parut à son tour. Il se dirigea vers un bâtiment attenant dont il poussa de l'épaule la porte qui forçait.

— Vous prenez chacun une cognée et une serpe.

Les premiers entrèrent. Billon demanda s'il n'y avait pas de scie.

— Vous aurez des godendards quand il faudra. Pour l'heure, c'est pas nécessaire.

Le gros homme prit sur une étagère un paquet de thé et quatre grosses boîtes de conserve qui ne portaient aucune étiquette. Comme il logeait le tout dans un sac à dos, Koliare demanda :

— Qu'est-ce que c'est ?

— C'est pour boucher ta grande gueule, fit l'agent des terres.

— Il en faudrait plus que ça !

Tandis que le curé de Saint-Georges remontait vers la station en compagnie des autres, ceux du rang trois, outils sur l'épaule ou au bras, s'engagèrent dans un chemin parallèle au fleuve. Le vent qui forcissait avec l'arrivée du jour hérissait l'eau de petites vagues qui s'en venaient chanter contre les glaces fragiles du rivage.

En amont, les moulins à scie tournaient. Leurs grosses cheminées crachaient gris. De la buée sourdait du rebord des toitures.

— En tout cas, observa Billon, ici, on dirait bien qu'ils n'ont guère senti la crise.

— T'as raison. Non seulement tu vois pas de maisons abandonnées, mais y a même des types qui construisent.

— T'inquiète pas, lança Labrèche, au train où ça va, la crise, elle aura tôt fait de nous rattraper !

Arrivée à la forêt, la Première Avenue devenait sentier. Ils durent marcher l'un derrière l'autre et ce fut le silence avec simplement le craquement de la neige et le froissement des herbes gelées sous les semelles.

6

CHEZ les colons partis pleins d'espérance à la conquête du Nord, chez les déshérités, les sans-travail qui refusaient de quitter les villes et vivaient de la charité publique, personne ne voulait accepter l'idée que le mal dont souffrait le monde avait été engendré par un excès de richesses. Et pourtant, l'essoufflement de l'économie était arrivé parce que les pays les plus industrialisés regorgeaient de tout. La maladie s'était avancée lentement, presque sans qu'il y parût. Ni les dirigeants, ni les industriels, ni les banquiers, ni les grands professeurs d'économie et de finances n'avaient voulu prendre le mal au sérieux. Sur le continent américain, tout marchait trop bien durant les deux premières décades du siècle pour qu'il vînt à l'esprit le plus avisé qu'une menace pesait. Les récoltes étaient abondantes et de qualité. Les forêts inépuisables donnaient à profusion du bois qui se vendait bien. Les métaux semblaient monter tout seuls des profondeurs. Sur le Pacifique comme sur l'Atlantique, la pêche était excellente. Sur les vastes prairies, d'innombrables troupeaux se multipliaient à n'en plus voir le bout. L'automobile gagnait. Le pétrole jaillissait du sol. Personne ne manquait de travail. Si la guerre d'Europe avait pris quelques hommes, elle avait en revanche fait tourner les usines et les planches à billets.

Pourtant, des nuées noires auxquelles nul ne prêtait attention s'amoncelaient. Surprenant tout le monde, l'orage finit par éclater.

À présent, tous les gens qui fuyaient les cités surpeuplées et les fabriques mortes parlaient de la Bourse de New York sans l'avoir jamais connue. Ils évoquaient le fameux jeudi noir sans savoir ce qui s'était passé vraiment, ce 24 octobre 1929. On disait seulement que la foudre avait claqué. On avait lu dans les journaux le récit de cette journée fatale et des semaines qui devaient suivre. On racontait qu'à la Bourse, les diamants roulaient par terre sous les semelles des changeurs, les actions étaient vendues au prix du papier, les financiers ruinés en une heure se jetaient du haut des gratte-ciel pour s'écraser sur la chaussée aux pieds des passants indifférents.

C'était de cette journée terrible qu'était venu le mal. Un pavé avait crevé la surface du monde paisible et riche. L'énorme floc s'était répercuté en une succession de vagues qui avaient semé la peur partout. L'Allemagne avait fermé ses frontières et refusé de payer ses dettes; n'ayant plus d'or, l'Angleterre avait soudain décrété que l'or ne valait plus rien. Les signatures, les engagements sur l'honneur, tout sombrait, tout fondait au brasier de la grande dépression. Nul ne respectait rien, ni accords, ni alliances, ni contrats. C'était la guerre des valeurs et des monnaies entre États. Une guerre qui vidait les bourses des plus pauvres avant de s'attaquer aux autres. Le peuple payait de misère et de peine ces batailles de chiffres, de devises et de lingots.

Alors, un peu partout, la révolte s'était mise à gronder. On sentait que les responsables étaient ceux qui tenaient la barre du gouvernail. En bien des endroits le capitaine était remplacé, mais le navire continuait de s'enfoncer. La tempête ne faisait que s'amplifier comme si le globe pris de folie eût quitté son axe de vie pour se mettre à rouler vers un gouffre sans fond. Et, sur cette terre en proie au vertige, de vastes mouvements s'étaient levés. Sur le vieux continent, des masses chantaient : troupeaux hurlant le poing levé, troupes en uniforme défilant au pas cadencé, fleuves de flambeaux déferlant vers des esplanades où ils seraient abreuvés de discours. Sur le Nouveau Monde, les hommes s'étaient mis à courir à la recherche de ce pain dont on les privait soudain alors que, durant des années, il avait débordé des poubelles.

Partout la peur était venue. Elle avait contraint certains à se barricader chez eux en cachant quelques richesses plus ou moins dévaluées, obligé les autres à une fuite éperdue et sans but.

Bon nombre de ces hommes courant après une vie qui leur glissait entre les doigts finiraient par rattraper leur mort bien avant l'heure prévue pour la rencontre.

Un mal sans médecin ni remède. On l'appelait la crise. Son nom était sur toutes les lèvres, en tête de tous les journaux ; refrain de toutes les radios, il communiquait la fièvre et donnait le frisson. Et pourtant, dans ce déclin, des enfants continuaient de naître, dont les mères amaigries se demandaient sous quel toit elles les abriteraient et de quel lait elles pourraient les nourrir.

7

Dans le baraquement d'accueil, le départ des hommes avait réveillé la plupart des enfants. Seule la lampe accrochée au-dessus des tables était allumée. Les premières femmes qui se levèrent se dirigèrent tout de suite vers cette source de lumière. De là venait aussi la chaleur. Un énorme fourneau de fonte à deux ponts ronflait. Contre le mur, du bois était empilé. Entre les fenêtres, la pile montait à hauteur de tête sur trois épaisseurs. L'eau chantait dans deux gros coquemars bleus dont l'émail manquait en plusieurs endroits. Une jeune femme qui tenait un bébé sur son bras se dandinait, le dos au feu. Elle avait enfilé un manteau sur une chemise de nuit bleu pâle dont les volants balayaient le plancher. Elle dit :

— En plein hiver, ça doit sûrement pas suffire à chauffer tout le local.

Une femme plus âgée examinait le fourneau dont les cuivres avaient besoin d'astiquage.

— C'est une Commodore, fit-elle. Du bon matériel. J'avais la même en plus petit. Je m'en souviens comme d'hier : on l'avait eue pour soixante-quatre dollars cinquante chez Eaton's. Ça m'a fait peine de m'en séparer. J' l'ai laissée à mon aînée. Elle a quatre petits. Je lui ai dit : quand t'auras cuisiné dessus autant que moi...

D'autres femmes s'approchaient, toutes enveloppées dans des manteaux avec des cols de fourrure ou de grosses vestes de laine passées sur leurs camisoles de nuit. Il y eut une longue discussion sur les mérites des cuisinières. Certaines étaient pour Commodore, d'autres pour Regent, d'autres encore pour Old Honesty. Une jeune toute menue qui avait un curieux accent répéta plusieurs fois qu'elle était en faveur du modèle Cooker and Heater.

— Justement, fit la plus vieille, moi je dis que ces patentes qui veulent chauffer au même temps que cuisiner, ça marche jamais bien.

La jeune femme au bébé répéta :

— Au gros de l'hiver, je suis certaine que, là-dedans, ça doit pas être tenable.

Charlotte Garneau qui approchait en traînant des savates trop grandes déclara :

— J'espère bien qu'on sera partis de là avant les grands froids.

Aussitôt, la conversation changea d'objet. On se mit à parler des rangs, de la terre. De ce que les hommes construiraient. Tout en discutant, elles avaient fait du thé. Du lait chauffait pour les enfants et deux femmes se mirent à distribuer du pain qu'elles coupaient en tartines et faisaient rôtir sur la platine de la cuisinière. Elles les retournaient de la pointe d'un couteau et grattaient parfois la fonte aux endroits où la mie avait attaché. Les enfants mangeaient. Certaines mères aussi, mais la plupart se contentaient d'une tasse de thé fumant. François Garneau grognait contre son père.

— M'avait dit qu'y m' réveillerait.

— Aujourd'hui, c'est surtout pour voir les lots. Tu peux être tranquille que demain, y va pas te laisser là.

— De toute manière, on a besoin d'un homme ici.

Paraît qu'y faut rentrer du bois. Si on pousse le feu, ça va filer vite.

Le jour s'était levé. Les femmes s'approchaient des fenêtres pour tenter de découvrir le pays. Avec l'ongle ou avec un couteau de cuisine, elles grattaient le givre qui fleurissait les vitres. Elles approchaient l'œil et observaient.

— On est tout près de l'eau.

— De ce côté, ça monte vers des maisons.

— Drôles de bâtisses.

— On nous avait dit une ville. Ça ressemble pas à une ville.

Dans le compartiment le plus éloigné de la table, une dispute s'envenima. Les trois enfants Labrèche se querellaient. La voix de leur mère, encore pâteuse de sommeil, essayait de s'imposer.

— Arrêtez ! Ça ira mal !

Charlotte Garneau posa son bol fumant sur un coin de table et se dirigea vers le fond. Écartant le rideau, elle entra chez les Labrèche et cria :

— Taisez-vous ! Si vous croyez qu'il y a que votre père pour vous mener, vous vous trompez. Je peux vous dire que j'ai pas la main fatiguée, moi !

Son visage s'était durci. La fille et les deux garçons se turent, regardant tour à tour cette grosse femme qui leur montrait sa large main ouverte, et leur mère encore allongée, qui se soulevait sur un coude pour passer ses doigts dans ses longs cheveux emmêlés.

— Je peux aussi te dire qu'il y a plus que toi qu'es pas levée, lança Charlotte.

Élodie écarta la couette et une épaisse courtepointe bariolée. Elle s'assit sur le bord du lit et bâilla longuement, la main devant la bouche. D'une voix moins sèche, Charlotte Garneau expliqua :

— Tu sais, on est sûrement entassés là pour un petit bout de temps. Si tous les enfants font autant de bruit que les tiens, ce sera pas vivable.

— J'arrive pas à les tenir. Je sais pas comment tu t'arranges, toi.

La grosse Charlotte hésita un instant. Son regard vif, tout rond dans son lourd visage, allait des trois petits immobiles sur la paillasse déroulée au sol à cette jeune femme qui eût pu être jolie si elle n'avait paru négligée. Haussant les épaules et soupirant un gros coup, elle laissa aller comme à regret :

— Si tu te remuais un peu, aussi.

Tandis qu'Élodie passait une grosse robe d'intérieur molletonnée et nouait la ceinture à glands, Charlotte se mit à secouer les enfants. Habillant le petit Jules, elle lança aux deux autres :

— Dis donc, Paul, à quatre ans t'es pas capable d'enfiler une culotte. Et toi, Clémence, tu pourrais t'occuper de tes frères. À ton âge, je savais déjà éplucher des patates et écosser des fèves à bines.

Les gosses reniflaient, lançant à leur mère des regards chargés de reproches. Élodie souriait en nouant sommairement son chignon qu'elle emprisonna dans un foulard bleu constellé d'oiseaux blancs.

— La Charlotte, elle va vous dresser, tiens ! Vous en avez besoin.

Enflant la voix, la femme du confiseur renchérit :

— Sûr que j'en ai maté des plus durs que vous autres.

Les enfants sentirent que sa colère était exagérée. Paul qui rabattait de ses petits doigts les boucles métalliques de ses chaussures leva vers elle son regard clair et lança :

— Tu me fais pas peur, tu sais. Tu me cries, mais tu me fais pas peur.

Ils se mirent tous à rire. La grosse enleva le garçon très haut.

— Si t'es pas sage, je t'accroche à la barre du rideau.

— Fais-le... Fais-le... Accroche-moi.

Charlotte plia les bras et serra l'enfant sur sa grosse poitrine. Son œil rieur s'humecta un instant tandis qu'elle murmurait :

— Si c'est pas une misère !

Puis se reprenant très vite, d'une voix soudain pleine de soleil, elle ajouta en les entraînant vers le couloir :

— Venez vite manger. Si vous voulez devenir des vrais bûcherons, faut vous faire solides, bonsoir !

Élodie assit le petit Jules sur son bras. Les autres femmes regardaient sa longue robe de chambre à ramages verts et roux. En dépit de l'usure et de quelques reprises, ce vêtement témoignait d'une certaine aisance.

La baraque sentait fort le mélange de thé, de café, de chocolat et de pain grillé. Occupés à manger, les enfants ne criaient pas trop. Une jeune femme maigre et longue, avec une tignasse crépue encadrant un visage osseux s'approcha d'Élodie et palpa le tissu de sa robe

— Je sais pas d'où tu tiens ça. C'est pas rien.

— C'est ma mère qui me l'a faite.

— Elle est dans la couture, ta mère ?

— Elle travaille avec mon père qui est tailleur.

— C'est pas rien, répéta l'autre en s'éloignant d'un pas fatigué.

Une femme de Québec qui fouillait dans une valise en sortit une longue robe noire dont les épaules, le décolleté, la taille et le bas étaient garnis de plumes d'autruche également teintes en noir. La tenant sur son avant-bras gauche, de l'autre main, elle la caressa pour la défroisser. Avec tristesse, elle dit :

— Moi j'ai encore ça. Je l'ai apportée, j'aurais pu la revendre. J'ai pas voulu. Je la mettrai sûrement plus jamais, dans ce foutu pays de sauvages, mais je m'en fiche, je veux la garder. Un temps, on a eu des sous. Puis on a plus rien. Mais je veux la garder. Je l'ai dit à mon homme : y a rien à faire, je la vendrai pas.

La maigrelette au visage tout en os émit un ricanement.

— Ici, je vois pas qui pourrait te l'acheter.

Il y eut un moment de confusion. Plusieurs jeunes se querellèrent à propos d'une valise égarée qu'on croyait volée et qui fut découverte sous un lit. Puis Charlotte Garneau dit d'une voix qui en imposait :

— Moi, je suis pas venue ici avec un homme solide et quatre garnements pour me lamenter. On fera de la terre. Puis on vivra dessus. Et je veux qu'on vive bien. Des robes de bal, j'en ai jamais eues. Je me fous d'en avoir, mais je compte bien que mes filles en auront.

Les autres l'avaient écoutée sans rien dire, impressionnées par la fermeté de sa voix et de son propos. Arlette Mélançon, petite blonde aux yeux sombres bien faite et proprette, dit d'une voix un peu pointue :

— N'empêche qu'on était pas sans rien, et faut repartir à zéro.

Plusieurs l'approuvèrent. Charlotte les laissa atteindre le déclin de leur grogne, puis, plus ferme encore, elle répliqua :

— Ben moi, je refuse de tout voir en noir. Je me dis que la crise nous a poussés vers la terre. Sans elle, on y serait jamais venus. Y a sûrement un coup de collier à donner, mais peut-être que c'est la chance d'être un jour avec un bout de champ à nous.

Leur repas terminé, les enfants se remirent à crier. Yolande Lafutaie qui n'avait pas d'enfants lança d'un ton aigre qui allait bien avec son visage de fouine :

— En attendant, nous voilà partis pour du bon temps, tous entassés dans cette cambuse.

8

Le layon rectiligne piquait franc nord. Il avait été ouvert depuis peu dans l'épaisseur de la forêt. Les arbres abattus se trouvaient allongés à droite et à gauche, contre les résineux, les bouleaux et les aulnes encore debout. La broussaille n'avait été coupée que sommairement. En certains endroits, on avait tronçonné du branchage pour l'aligner sur des passages fangeux. Le gel ayant solidifié la boue, le bois se trouvait pris dans un mortier armé de lianes et de lichens.

Faivre avait pris la tête. Trapu et rondouillard, il filait étonnamment vite en se dandinant sur ses courtes jambes. Le prêtre lui avait emboîté le pas, immédiatement suivi par le grand Lafutaie et Pinguet, son ombre taciturne.

— Ces deux-là, grogna Billon, quand tu vois une soutane, y sont pas loin derrière.

Koliare lança en ricanant :

— Si t'appelles ça une soutane !

Le barbu avait relevé et passé dans un ceinturon de cuir fauve les pans de son long manteau noir. Il portait une sorte de petite gibecière en beau cuir fauve ; sur son autre hanche, pendait un étui noir contenant son appareil photographique pliable.

Vu de dos, le prêtre ainsi accoutré semblait porter une

culotte bouffante serrée aux genoux qui lui donnait l'air d'un clown en deuil.

— Y joue au soldat, grogna encore l'Ukrainien. Pauvre couillon, si y savait ce que c'est !

En certains endroits, la neige soufflée avait formé des congères. Les hommes mal chaussés commençaient à se plaindre. Plus loin, une source encore vigoureuse entretenait un espace humide, à peine croûté en surface, et que les premiers piétinements transformèrent en bourbier. David Fatin qui n'était chaussé que de petits caoutchoucs en perdit un. Il fallut s'arrêter pour l'attendre. Koliare qui était bien botté pataugea pour repêcher la chaussure qu'il nettoya de ses grandes mains.

— Si tu crois passer l'hiver avec ça aux pieds, observa Faivre, je te vois mal parti.

— J'ai rien d'autre.

Il y eut une discussion où chacun émettait un avis sur le moyen de trouver des chaussures à Fatin. Faivre lui dit que les gens du Magasin Général lui feraient crédit pour ça comme ils le faisaient pour les vivres.

— Vous n'allez tout de même pas me dire que vous n'aviez rien d'autre à Montréal, fit l'abbé Gauzon que tout semblait irriter.

David Fatin, petit homme lent, au visage fermé sous un front bas, haussa les épaules. Il essuyait calmement l'intérieur de la chaussure avec un chiffon qui devait lui servir de mouchoir. Le gros Mélançon le soutenait pour qu'il ne perde pas l'équilibre. Son pied nu était rouge aux endroits où la boue ne l'avait pas recouvert. Il agitait ses orteils. D'une voix sourde, il dit :

— J'avais des bottes. Les ai vendues au boulanger.

Il y eut un silence. Des paquets de neige tombaient parfois d'une branche. Le vent leur arrachait un peu de poussière de soleil.

Après une bonne heure de marche, Faivre s'arrêta. La sente rectiligne continuait.

— Ça commence là.

— Pourquoi on vient si loin ? demanda Garneau.

— Parce que le rang trois commence ici. Jusque-là, ça peut pas faire de la terre à cultures.

Piétinant les broussailles, les hommes regardaient autour d'eux. La forêt était partout la même. Celle qu'ils venaient de traverser comme celle où le layon s'enfonçait. Un peu essoufflé, Faivre tendit son bras court vers l'est. Il montra un gros épicéa dont le tronc portait une longue balafre claire.

— Ça, c'est le lot zéro. C'est par ici que vous allez commencer. Ce sera l'emplacement de l'église et de la cure. Vous allez abattre, puis vous monterez un campe où vous pourrez tous loger le temps que vous bâtissiez sur vos lots. Par la suite, on transformera à l'intérieur et ça tiendra lieu de chapelle en attendant qu'on bâtisse la vraie église.

Un espace de quelques pieds carrés avait déjà été déboisé. Sous la neige mince et irrégulière, on devinait une place de feu.

— C'est quand on est venus marquer les lots, dit Faivre.

Il se dirigea vers un tas de broussailles qu'il souleva en secouant la neige. De dessous, il tira une grosse marmite en fonte. L'ayant ouverte, il en sortit une plus petite qui contenait quelques écuelles en fer.

— La grande, c'est pour faire chauffer votre manger. L'autre, elle sert pour le thé.

Le gros Mélançon eut un rire bête pour dire :

— C'est bien organisé. C'est comme le secours direct.

— Toujours mieux que rien, répliqua Faivre. Te plains pas . ça, on vous le doit pas. Quand je vous ai donné les conserves, y a même pas un de vous autres qui s'est demandé comment les faire chauffer.

Il y eut un moment de gêne. Lafutaie qui se trouvait à côté de Mélançon lui glissa :

— Tu ferais mieux de fermer ta gueule.

Déjà Faivre expliquait qu'ils auraient à ouvrir tout de suite une laie en bordure du lot numéro un, pour tirer droit vers le fleuve.

— C'est à faire en priorité, ce qu'on aura comme matériel à vous amener, on le transportera avec le bateau. Seulement, faut pas se laisser devancer par les glaces.

— On commence par ça, ou par le campe?

— Faites deux équipes.

— Je vais les constituer, proposa l'abbé.

Faivre le regarda un instant. Il hésitait. Son visage rouge et luisant et ses petits yeux noirs dissimulaient mal une certaine ironie. Il finit par dire :

— Y a pas de charpentier. Y a qu'un maçon, c'est Billon. Moi, je le chargerais de se trouver quatre hommes pour monter le campe.

Se tournant vers Billon, il demanda :

— Tu sauras te débrouiller?

— C'est pas sorcier. J'ai assez monté des baraques de chantier.

— En général, on fait douze pieds sur vingt. Tout en bois rond. Pour le plancher, le bateau t'amènera ce qu'il faut du moulin à scie.

Il marqua un temps, son regard allait de l'ancien maçon au prêtre. Comme personne ne soufflait mot, il se décida.

— Alors, qui tu vas prendre?

Billon n'hésita pas :

— Les tout-en-gueule, je saurai les mener, moi.

Il désigna Cyrille et l'Ukrainien.

— Puis je vais prendre le confiseur et David Fatin.

Avec ce qu'il a aux pieds, vaut mieux qu'il aille pas dans l'épais du bois.

L'ancien maçon semblait heureux qu'on lui confie une responsabilité. Se tournant vers le prêtre qui n'avait pris qu'une serpe, l'agent des terres proposa :

— Si ça vous va, mon père, pouvez prendre les autres. Pour le tracé du chemin, suffit de longer les arbres marqués jusqu'à la rive. Les autres lots, c'est tout en suivant. De toute manière, vous êtes pas rendus là. Je reviendrai avant que vous les attaquiez.

L'agent des terres les laissa pour regagner son bureau. Avant de s'éloigner avec son équipe, le prêtre dit à Billon :

— Je compte sur vous pour qu'il n'y ait pas de disputes. Et pas d'accident. Si ça ne va pas, n'hésitez pas à m'appeler.

— Pouvez être tranquille, mon père, j'ai déjà mené des gens.

Les deux équipes se séparèrent. Billon désigna un groupe d'épinettes bien droites et à peu près de même grosseur.

— On va commencer par descendre tout ça. Si on arrive à couper bien à même hauteur, on se montera le campe sur les souches. Ça isolera le plancher de l'humidité.

— T'es certain que ça peut tenir ?

— Certain.

Koliare, Fatin et Labrèche se mirent à abattre, les autres tiraient les troncs et ébranchaient.

— Demain on aura le godendard, on pourra scier de longueur. Puis faudra apporter de la ficelle pour faire une pige et tirer les niveaux.

Avec les premières branches, Fatin avait allumé un feu qui crépitait. On n'entendait que ce bruit, la chute des arbres et les coups de hache. En face, les autres cognaient aussi, mais ils devaient surtout débroussailler. À plusieurs reprises, le prêtre vint regarder comment allait le travail. Vers le mitan de la matinée, il demanda si quelqu'un avait un ouvre-boîtes. Personne n'en avait.

— Voulez chauffer les bines ? demanda Koliare.

— Naturellement.

L'Ukrainien ramassa une des grosses boîtes dans sa large patte et la posa debout sur une bille. Prenant une serpe, il en planta d'un coup sec l'extrémité recourbée et pointue au milieu du couvercle, puis faisant décrire à la boîte un quart de tour, il planta de nouveau sa lame. Ensuite, toujours avec le même outil, il tordit vers l'extérieur les quatre triangles de métal. Son long nez s'approcha. Il renifla et dit :

— C'est bien ce que je pensais, des fèves au lard. C'est bon ; ça tient au ventre.

Quand il eut ouvert les quatre boîtes, il retourna à son travail. Le curé vida les fèves dans la plus grande bassine, tira des braises entre deux pierres où il posa le récipient. Ensuite, il s'en alla choisir une branche de bouleau bien droite qu'il se mit à écorcer soigneusement et à tailler d'un bout en forme de spatule. Pas très adroit, il allait lentement, avec une grande application. Les autres lorgnaient parfois de son côté avec des haussements d'épaules et de petits rires muets.

Quand ils mangèrent, le soleil était déjà haut. La neige fondait. Les arbres s'égouttaient. Tout le bois scintillait. Assis sur des billes, les hommes examinaient leurs mains.

— Faut pas forcer sur la hache les premiers jours, expliqua Billon, sinon, ça éclate. Avec le froid, ça guérit plus.

Parmi ceux qui avaient beaucoup abattu, seuls Koliare, Fatin et le gros Mélançon ne souffraient pas.

Ils montraient leurs paumes intactes avec fierté. Le gros qui avait été cantonnier dit en se redressant :

— Moi, pour les travaux durs, je crains personne.

— À table non plus, fit l'Ukrainien.

Malgré leur fatigue, ils trouvaient la force de rire. Lorsque les deux marmites furent vides, le prêtre dit :

— Avant de nous remettre à l'œuvre, nous allons chanter et remercier le Seigneur de nous accorder un aussi beau temps pour nos travaux.

Immédiatement suivi par Lafutaie et Pinguet, puis par les autres, il entonna :

— Merci à vous mon Dieu, qui nous donnez la joie et nous ouvrez les cieux...

Quand ils reprirent leurs outils, il y eut quelques gémissements. Les reins et les épaules s'étaient refroidis, les muscles rechignaient à se remettre en marche.

Déclinant déjà vers l'ouest, le soleil émiettait un long ruban de feu derrière les arbres où l'on devinait le fleuve. Les ombres violettes durcissaient. C'était un spectacle d'une grande beauté, mais personne n'y prêtait attention. Excepté l'Ukrainien qui semblait totalement inaccessible à la fatigue, personne ne parlait plus. De loin en loin un ordre bref ou un juron. C'était tout. Chacun se refermait sur ce qu'il endurait, serrant les lèvres, crispant les mains sur les manches des outils. Fatin qui charriait souvent du branchage s'arrêtait parfois près du feu. Assis sur une souche, il retirait ses caoutchoucs, empoignait l'un après l'autre ses pieds à pleines mains pour les masser et faire circuler le sang.

Comme le soleil atteignait les terres par-delà la forêt, le prêtre donna l'ordre du retour. Les hommes glissèrent les outils sous des billes et reprirent le sentier. Ils allaient le dos courbé, la tête rentrée entre les épaules et les mains

75

enfouies dans les poches. Le gel serrait déjà son étau. Sur leur passage, la forêt vivait un moment de ce long piétinement, puis elle refermait sur le layon son lourd silence de nuit.

9

L ES femmes avaient mis en ordre le bâtiment et organisé chaque compartiment. Elles s'étaient rendues par groupes de deux ou trois au Magasin Général où on leur avait ouvert des comptes de crédit. Elles faisaient inscrire le nom et le numéro du rang et du lot où la famille irait s'installer. Sans avoir vu ce que serait leur terre, elles se sentaient déjà un peu propriétaires. La plupart se trouvaient plus démunies que jamais, et pourtant un petit sentiment de richesse les habitait déjà. Toutes avaient entendu parler des fermiers qui vivaient mieux que les ouvriers des villes. Dans leurs propos, revenaient souvent des mots d'espoir.

— Quand t'as une maison à toi et ton jardin, t'es déjà certaine de pouvoir faire cuire une pomme de terre pour tes petits.

Sans en parler, elles avaient attendu le retour des hommes avec angoisse. Les gens du Magasin Général interrogés leur avaient bien dit que la terre était bonne sur tous les rangs où on plaçait les colons, mais c'était de leur homme qu'elles en attendaient la confirmation. Charlotte Garneau plaisantait :

— Faut tout de même pas vous figurer qu'ils vont nous ramener des patates dans leurs poches pour ce soir.

Elles riaient pour chasser l'incertitude. La crainte, peut-être, d'entendre leur époux leur annoncer que la terre était mauvaise et qu'il valait mieux renoncer.

Lorsque les bottes et les brodequins battirent le seuil, les enfants se précipitèrent. Les femmes s'avancèrent lentement près de l'espace central. Un silence les habitait qui n'était que de surface. Tous les cœurs battaient fort. Les visages voulaient se montrer souriants, mais les regards fixaient la porte avec une trop grande intensité.

François Garneau qui était le plus grand ouvrit. Le prêtre entra. Sa barbe était blanche de givre. Il clignait des yeux. Derrière lui venaient le grand Lafutaie dont la moustache aussi était blanche, puis Pinguet, puis Rossel, l'énorme Mélançon cramoisi et essoufflé, Fatin qui grimaçait à chaque pas tant ses pieds étaient douloureux. Il y eut un intervalle avant que paraissent l'Ukrainien, Labrèche et les autres. Les enfants leur grimpaient après. Les femmes un instant muettes se mirent à questionner. L'air glacé entrait avec eux. Ils semblaient traîner à leurs basques la forêt obscure, la rivière à moitié gelée et cette immobilité de la nuit qui annonçait le gel. Aussitôt, des groupes se formèrent. Eugénie Florent, une femme qui cachait une grande force dans un corps fluet, agrippa son garçon, un long gaillard de vingt-deux ans et l'entraîna vers leur case en disant :

— Viens-t'en. Tu vas te déshabiller ; m'en vais te frictionner à la goutte.

— La goutte, vaudrait mieux la boire, lança l'Ukrainien.

Ceux de Québec et de Trois-Rivières arrivèrent à ce moment-là d'une corvée de bois. Ils n'iraient sur leur rang que le lendemain. Tout de suite, ils se mirent à interroger. Labrèche, Garneau et Koliare étaient déjà au

fond du baraquement, tiraillés par les enfants et assaillis par les femmes :
— Comment c'est ?
— Vous avez vu les lots ?
— Où est le nôtre ?
— Est-ce qu'il y a de l'eau ?
Ils répondaient tant bien que mal, mais la fatigue les écrasait. Elle clouait le bec des plus bavards. Koliare trouva la force de brailler :
— Voyez pas qu'on crève de faim ?
En quelques minutes la table fut dressée. Deux chaudrons mijotaient. Les enfants qui avaient déjà mangé furent couchés. Il y eut tout un concert de cris, d'appels, de pleurs ponctués de quelques gifles. Le prêtre barbu avait disparu, parti rejoindre le curé de Saint-Georges. Le repas absorbé, les hommes expliquèrent ce qu'était le rang, mais, au fond, personne n'était en mesure de rien dire sur les lots. C'était la forêt. On verrait lorsque tout serait défriché. Il y eut quelques récriminations lorsqu'ils annoncèrent qu'ils bâtissaient un premier campe où, d'ici trois jours, ils pourraient loger. Certaines femmes prétendaient partir avec eux. Le grand Koliare dit avec un rire aigre :
— Vous irez expliquer ça aux curés ! Des femmes pêlemêle avec des hommes.
Certains s'étant approchés du poêle, Élodie Labrèche entraîna Cyrille vers leur compartiment dont elle referma soigneusement la bâche. Les enfants dormaient. Entre les cloisons de toile et le plafond, arrivaient la lueur tremblotante des lampes et le brouhaha des conversations. Tout près d'eux, ils entendaient Martin qui expliquait à Charlotte comment Billon leur faisait bâtir le campe.
— C'est une bonne chose. On s'entend bien. Quand y faudra monter les nôtres, je crois qu'on pourra aussi faire ça en équipe.

Élodie s'était blottie contre Cyrille. Le visage enfoui dans son cou, elle l'embrassa un long moment avant de murmurer :

— J'ai rien voulu dire tout à l'heure, mais je veux pas rester avec toutes ces femmes pendant que tu seras sur le rang.

Cyrille la prit par les bras et la secoua.

— Où veux-tu aller ?

— Je sais pas. Mais ici...

— Tu vas pas commencer, hein ! Faudra que tu fasses comme les autres. On est venus là, c'est pas pour faire des histoires. Moi non plus, ça m'amuse pas. Mais une fois notre campe bâti, on sera chez nous. On s'occupera plus de personne. On aura une terre à nous.

— Est-ce que tu crois vraiment que ça peut réussir ?

— Certain.

— Est-ce que c'est de la terre de cultures ?

Il soupira profondément, hésita un instant puis, la repoussant doucement, il se laissa tomber sur le bord du lit en disant :

— Je suis fatigué, tu sais. Faut se coucher.

Elle mit un genou en terre et lui prit la cheville.

— Laisse, je vais te délacer tes souliers.

Il commença de déboutonner sa grosse chemise de flanelle. Les autres gagnèrent leurs logements et, venue de l'autre bout du bâtiment, une voix lança :

— Faudrait vous taire. Demain, c'est fête à bras !

Ayant tiré les chaussures de Cyrille, Élodie se releva. Elle se déshabilla en hâte. Dès qu'ils furent au lit, elle se colla contre lui et souffla :

— Tout de même, t'aurais accepté d'aller chez mon père, on aurait été mieux, et jamais obligés de se séparer.

Bourru, Cyrille répliqua :

— Parle pas de lui. Tu sais que ça me fâche.

Les caresses d'Élodie se firent plus précises. Et très vite elle fut sur lui.

— T'es fatigué, mon amour, laisse-toi faire.

Il eut un petit rire.

— Toi, t'es jamais fatiguée. Sûr que dans tout le baraquement, on doit être les seuls...

Elle l'interrompit :

— Ça prouve qu'on est les seuls à s'aimer vraiment.

— Et ce foutu lit qui craque.

Des ronflements montaient déjà. Un enfant pleura un moment et la mère dut se lever pour le bercer. S'étant aimés, Cyrille et sa femme demeurèrent longtemps enlacés, à fixer la petite fenêtre où dansaient les reflets du fleuve.

Plusieurs fois, Cyrille répéta tout bas :

— Bientôt, on sera chez nous. Vraiment chez nous. On devra plus rien à personne.

10

Ils étaient des milliers qui croyaient à la terre. Des milliers qui avaient possédé une demeure et n'avaient plus que quelques meubles, quelques vêtements sauvés du désastre.

On leur avait parlé de la forêt qui peut tout donner, ils avaient cru en la forêt. On leur avait parlé du Nord, ils étaient venus vers le Nord et ils croyaient en lui.

Il en était ainsi au Témiscamingue et en Abitibi; il en allait de même vers le Centre. Et, là-bas, aux travailleurs des grandes villes chassés par la crise, se joignaient les cultivateurs des vastes plaines délogés par la sécheresse. Parce qu'un malheur n'arrive jamais seul, aux désastres économiques s'était ajoutée la rigueur de l'été.

Fléau épouvantable, le manque d'eau avait assoiffé les terres de l'Alberta et de la Saskatchewan. Le sable avait envahi les labours et les pâturages où plus rien ne poussait. L'herbe même avait fini par crever. Le vent brûlant s'était installé en maître sur la prairie. Dans leurs maisons de planches perdues au milieu des immensités desséchées, les fermiers eux aussi s'étaient mis à penser au départ. La rumeur les avait atteints qui parlait d'autres contrées où le travail était encore possible. Des femmes et des hommes liés à un petit domaine depuis deux ou trois générations écoutaient siffler les trains dans la nuit. Ces longs convois filaient vers les provinces de l'Ouest. Ils allaient traverser les montagnes Rocheuses, les Selkirk, les monts Purcell. De leur lit, ces gens à demi morts de faim et de chaleur imaginaient des vallées d'ombre et de fraîcheur où cascadaient des eaux pures. Au terme du voyage, ils devinaient la mer. L'Océan, que la plupart d'entre eux n'avaient jamais vu autrement que sur des photographies. De l'eau où il devait être possible de plonger son corps. D'autres pensaient à l'Est où allaient les mêmes trains à leur retour. Toronto, Montréal, peut-être Québec au bord du Saint-Laurent jamais à sec.

Tous finissaient par s'en aller, abandonnant pour l'inconnu ce qu'ils avaient eu tant de peine à conquérir : l'espérance des terres, le rêve des récoltes. Ils iraient dans les villes. Certains s'y fixeraient, d'autres poursuivraient leur errance. Tous continueraient de penser à leur ferme de Saskatchewan ou d'Alberta.

Ceux qui possédaient une charrette et un cheval ou une camionnette emportaient ce qu'ils pouvaient y charger. Les femmes voulaient prendre tout le linge, la vaisselle, les casseroles, les hommes préféraient charrier leurs outils, le matériel agricole. Tout ce qu'ils espéraient pouvoir utiliser ailleurs, sur d'autres terres qu'ils imaginaient moins ingrates. Il y avait des disputes, puis on finissait toujours par laisser la plus grosse part d'un modeste avoir. Personne pour acheter le reste, les charrues, les harnais, quelques meubles, le moulin qui ne montait plus d'eau depuis si longtemps. Ceux qui possédaient une automobile en découpaient l'arrière pour pouvoir y entasser le plus de choses possible. Et pourtant, toutes les maisons restaient pleines. Vides de monde mais occupées par le souvenir de la vie. Le sable allait entrer là. Les sauterelles, les cancrelats, toute la vermine qui se nourrit du malheur du monde.

Ceux qui ne pouvaient pas emmener le bétail l'abandonnaient. Les bœufs et les chevaux étonnés d'être libres et désœuvrés marchaient dans la poussière, cherchant l'eau introuvable. Les vaches que personne ne venait traire meuglaient de douleur.

Parce que les agents du gouvernement parlaient des bonnes terres du Nord, quelques fermiers, pour éviter de se mêler au flot lamentable qui déferlait vers la Colombie britannique, tentaient de gagner Peace River ou les rives du Grand Lac de l'Esclave. Bon nombre s'égaraient ou devaient renoncer, à court de carburant et de vivres. L'hiver leur barrait la route avec ses glaces, l'été leur barrait la route avec ses nuées de maringouins. Les chevaux aux flancs ruisselants de sueur et de sang s'écroulaient entre les brancards du char, à bout de forces et se laissaient mourir. Alors les enfants, les femmes et les hommes se chargeaient de ce qu'ils pouvaient porter et revenaient sur leurs pas.

Ainsi allait tout un peuple à la dérive. Paysans sans terre ni bétail, ouvriers sans outils ni usine. Les véhicules, le matériel, les machines agricoles, le mobilier abandonné le long des routes jonchaient les fossés. Personne ne ramassait rien. Ces gens ne cherchaient plus que de quoi ne pas mourir de faim, mais la nourriture était le seul bien que nul n'abandonnait en chemin.

Ces malheurs survenaient en une époque de grande pauvreté. Même avant le début de la sécheresse, même avant que les sauterelles ne mangent le cuir du licou sur l'encolure du cheval, le paysan vivait de peu puisque le blé avait cessé de se vendre. Il se nourrissait sur sa terre et, bon an mal an, parvenait à gagner une vingtaine de dollars. Vingt dollars pour douze mois de labeur !

Ces gens-là voulaient travailler. Se fixer. Ils n'avaient pas des âmes de vagabonds. Leur volonté de trouver de l'embauche, de tirer leurs petits de la famine les conduisait à se louer à vil prix. Les valets de ferme de la riante vallée du Fraser qui gagnaient alors dans les quarante dollars par mois voyaient arriver d'un mauvais œil ces gaillards squelettiques mais encore capables d'efforts, qui s'offraient à dix dollars. Pour six dollars leurs épouses acceptaient de seconder la fermière ou de tenir le ménage des bourgeois. Des querelles éclataient, quelques bagarres aussi.

Parfois ces gens de l'Ouest que la sécheresse n'avait pas touchés disaient qu'ils eussent préféré un nuage de sauterelles à cette horde famélique.

Pour des raisons différentes mais qui finissaient par se rejoindre, s'ajouter les unes aux autres et se confondre, la même misère touchait le monde des campagnes et celui des villes, les laboureurs et les ouvriers, les éleveurs et les artisans. Mais c'était le temps du chacun pour soi. Les grands drames engendrant l'égoïsme, l'aveuglement et la soif de vivre.

Les chômeurs qui avaient quitté Montréal pour le Royaume du Nord ignoraient ce qu'il advenait des cultivateurs des prairies partis chercher secours à l'Ouest ou dans une autre partie du Nord. Un autre empire promis par d'autres commis de l'État. Ainsi se trouvait-il que certains venaient s'installer en des lieux que des gens avaient désertés et qu'eux-mêmes fuiraient bientôt après en avoir éprouvé l'indigence.

Mais il demeure toujours au fond du cœur de l'homme le plus démuni une minuscule lueur, et c'était sur cette braise à peine visible que venait parfois, au cours des nuits dans des abris de fortune, souffler le vent du rêve qui sait ranimer le foyer des plus folles espérances.

11

L E matin du deuxième jour, le réveil fut terrible. La nuit n'avait fait qu'endormir les douleurs des corps, des membres et des mains. Ces douleurs se réveillèrent en même temps que les hommes, bien avant l'aube. Personne ne parla durant le repas, chacun avait à cœur de se montrer plus dur au mal que le voisin.

Après une bonne heure consacrée au déchargement de leurs meubles qu'ils entassèrent dans une remise de la gare, les hommes du rang trois reprirent le chemin de la forêt.

Quatre matins de suite ils marchèrent dans le gel et le brouillard, quatre soirs ils revinrent pour manger d'énormes platées préparées par les femmes. Dès après la dernière bouchée, ils s'en allaient au lit où ils s'écroulaient, leurs mains sanglantes à demi ouvertes. N'osant plus les interroger, les femmes les regardaient, pleines de pitié. Certaines enrageaient de rester enfermées, mais les prêtres qui avaient participé à l'élaboration du règlement avaient interdit l'accès des rangs aux épouses et aux mères tant que les demeures prévues pour recevoir les familles n'étaient pas terminées.

Plusieurs fois au cours de la journée, le curé de Saint-Georges et des gens du comité d'accueil venaient passer un moment dans le bâtiment des colons. Tous s'efforçaient de rassurer ces femmes de la ville souvent effrayées par ce qu'elles devinaient de la forêt. Ils évoquaient les déboires des fondateurs de Saint-Georges, des constructeurs du chemin de fer et affirmaient que rien n'était comparable à ce qu'ils avaient vécu. Une fois les maisons bâties et les lots défrichés, la vie serait facile pour tous ceux qui choisissaient la terre. Ces pionniers dont certains n'étaient là que depuis quelques années parlaient de ce pays avec passion. Il n'existait que par eux. Ils l'aimaient plus qu'on peut aimer une patrie vieille de mille ans.

Lorsqu'une femme avait besoin d'acheter quelque chose d'autre que la nourriture, une chose coûteuse comme des chaussures ou une chemise d'homme, le curé l'accompagnait au Magasin Général. Il se portait garant de la dette qui devenait sacrée. Mme Robillard, la patronne du magasin, parlait peu, mais elle savait faire discrètement le geste qui aide, trouver le mot qui redonne confiance. Par d'autres personnes du comité d'accueil, les nouvelles venues apprenaient les drames que les Robillard avaient connus, les obstacles qu'ils avaient dû surmonter, mais chacune pouvait constater leur réussite. Elles en disaient quelques mots aux hommes avant qu'ils ne s'endorment, manière de leur donner courage.

Le dimanche, les hommes restèrent à Saint-Georges. Beaucoup auraient aimé dormir, et les femmes eurent bien du mal à les tirer du lit. Mais le curé avait annoncé que la messe pour les colons serait dite à huit heures par le père Gauzon. Le jeune prêtre colonisateur parla longuement dans son sermon de la terre généreuse et bonne, du travail rédempteur et, surtout, il insista sur le respect dû aux prêtres qui se dévouent pour conduire les colons et les aider à ne jamais s'éloigner de Dieu. Bien des défricheurs exténués luttaient avec peine contre le sommeil, se réveillant l'un l'autre d'une bourrade. Tout l'après-midi, le prêtre barbu demeura dans le bâtiment des colons. Et le temps que bien des hommes avaient espéré consacrer au vrai repos fut partagé entre des jeux, des chants et des prières.

Le lundi matin, le bateau qui, le deuxième jour, avait descendu l'outillage et du bois façonné, fit un autre voyage pour mener des vivres, un gros fourneau à deux ponts, de la literie et des casseroles. Il cracha noir et souffla fort à maintes reprises pour briser les premières glaces. Celui qui le menait déclara :

— Je vous souhaite bien du plaisir, les gars. Ça fait neuf ans que je suis au pays, j'ai pas encore vu un hiver si précoce.

Les hommes déchargèrent en le traitant d'oiseau de mauvais augure. Déjà les muscles s'échauffaient. On retrouvait presque avec une espèce de plaisir curieux les douleurs assoupies. Chaque geste était comme un vieux compagnon.

Le bateau reparti, ils coltinèrent leur matériel. Billon et Fatin installèrent l'énorme poêle au centre du baraquement où ils avaient monté des couchettes de bois superposées et fixées au mur. Chacun installait son coin. De l'extérieur, les fentes entre les troncs avaient été colmatées avec de la corde défaite et trempée dans une sorte de goudron très gluant. Cependant, chacun avait apporté des vieux chiffons, du papier, du carton et des bouts de ficelle pour fignoler le garnissage de l'intérieur. Ils menaient cette besogne souvent à tâtons, car il n'y avait que deux fenêtres placées vers le centre, près de la longue table faite de quatre planches clouées sur un bâti de bois rond. Le poêle grondait, bourré jusqu'à la gueule de bois suant la sève et la résine.

Soulagés de ne plus avoir à accomplir chaque matin et

chaque soir ces trajets interminables dans le froid, les hommes étaient heureux. Il régnait là comme une atmosphère d'enfance. Quand le prêtre, toujours inquiet de tout, toujours à la recherche d'un ordre ou d'un conseil à donner pour asseoir son autorité, faisait observer que le cornet du fourneau rougissait, le grand Koliare lançait :

— Faites pas de tracas, mon père, si ça brûle, on manque pas de bois pour reconstruire.

Ils plaisantaient en s'installant. Le gros Mélançon avait renforcé sa couchette. Billon disait à Rossel qui n'était pourtant ni grand ni lourd :

— Espèce de gros sac, tâche de pas me tomber dessus en pleine nuit, j'aime qu'on me réveille gentiment.

Tout les amusait. Ils se sentaient chez eux ici, dans ce campe qu'ils avaient bâti de leurs mains, beaucoup plus que dans le centre d'accueil où tant de gens avaient séjourné avant eux. Martin Garneau avait amené son aîné qui semblait aussi robuste que lui, Ferdinand Rossel son unique enfant, un garçon de onze ans taciturne et secret, qui copiait avec application les gestes mesurés de son père dont il avait déjà les énormes mains. Jeanne Koliare s'était opposée à ce que son fils suive l'Ukrainien, puisqu'on lui refusait, à elle qui se sentait tant de force, le droit d'aller bûcheronner.

Le prêtre leur avait distribué des images pieuses à placer à la tête de leur lit. Le soir, lorsqu'ils eurent mangé la soupe de fèves et de lard qui avait cuit en embaumant toute la pièce, le barbu leur dit d'un ton un peu trop pompeux :

— Mes fils, vous voici sur vos terres. Sur ce Royaume qui vous avait été promis et que le bon Dieu vous offre. Désormais, nous prierons et chanterons chaque soir pour le remercier de ce don et de l'aide qu'il nous accorde.

Heureux de leur installation et tout excités à l'idée que,

dès le lendemain, ils commenceraient à défricher leurs lots, les hommes chantèrent volontiers. Soucieux d'économiser le pétrole qu'il leur faudrait renouveler en allant le chercher à pied comme le reste, ils avaient éteint la lampe suspendue au-dessus de la table. La porte du fourneau grande ouverte montrait un beau feu de rondins. Sa lueur dansait sur les visages des hommes assis en demi-cercle, les coudes sur les genoux, fumant leur pipe, mâchant leur chique ou tirant sur de maigres cigarettes toutes tordues. Entre deux chants, le prêtre leur parlait de la terre. Il répétait ce que tous avaient cent fois entendu dans les églises avant même de s'embarquer pour le Nord. Soit pour battre la mesure des cantiques, soit pour parler avec de grands gestes, il allait d'un côté à l'autre du fourneau. Profitant qu'il lui tournait le dos, Koliare sortit de sa poche une bouteille de gin. Il but une rasade, cacha la bouteille. Le prêtre revint de son côté, repartit et l'Ukrainien passa la bouteille à Billon. Pour dormir comme pour manger, les hommes s'étaient assemblés par affinités. Ceux qui se sentaient proches du prêtre s'étaient installés de son côté, les autres occupaient le bord opposé. Ainsi, dès le premier jour, la baraque s'était-elle organisée en deux clans bien distincts. Billon ayant bu à son tour passa le flacon à Rossel. Le jeu dura un moment, mais le fumet de l'alcool finit par trahir les buveurs. Effectuant un demi-tour brutal à contretemps, le barbu surprit Labrèche la bouteille à la main. Le chant dérailla, vacilla comme un feu chétif et se rompit d'un coup tandis que le jeune prêtre se précipitait pour s'emparer du gin. Plus rapide que lui, Cyrille passa la bouteille à Koliare et se dressa face au prêtre dont le regard lançait des flammes.

— Labrèche ! Je vous ordonne de me donner ce poison.

Railleur, Cyrille leva ses mains ouvertes.

— Moi, mon père ? Mais je n'ai rien.

— Reprenez cette bouteille et donnez-la-moi !

S'étant levé à son tour, l'immense Ukrainien proposa :

— Si c'est pour boire un coup avec nous, mon père, donnez votre gobelet.

— Vous m'insultez, Koliare... Vous aurez...

Il fut interrompu.

— Je vous insulte pas, je vous offre d'arroser avec nous autres ce que le bon Dieu nous a offert. C'est point péché.

Tandis que le prêtre bégayant de rage affirmait qu'il savait mieux que lui ce qu'était le péché, Garneau et Billon se levèrent aussi, puis Rossel à son tour. Les voyant décidés à faire front, le barbu hésita un instant. Cessant de réclamer la bouteille, il demanda :

— Où vous êtes-vous procuré cet alcool ? Je veux savoir !

— Un cadeau, lança Koliare.

— De qui ?

Comme l'Ukrainien hésitait, par bravade autant que pour l'aider Cyrille dit :

— De moi.

Se tournant vers lui, le prêtre fronça les sourcils. Cette fois, c'était vraiment la haine qui habitait son regard

— Où l'avez-vous trouvé ?

Cyrille émit un ricanement :

— C'est une bouteille qui traînait dans la rue. Sûrement un ivrogne l'aura perdue...

Il y eut des rires, puis un silence dans lequel le ronflement de la flamme tout au long du cornet du poêle parut énorme. Un instant, Cyrille crut que le prêtre allait le frapper. Ses poings se crispèrent. Il n'eût pas hésité à répliquer. Son visage tremblait. L'abbé Gauzon respira longuement, recula d'un pas en cherchant ses mots. Puis,

91

d'une voix soudain enrouée, il lança en laissant son regard aller d'un visage à l'autre :

— Vous ne méritez pas les faveurs que le ciel vous accorde.

Fébrile de colère, sa main à l'index tendu montrait le toit de rondins alignés. Après un temps, il reprit :

— Vous devriez avoir honte de troubler ainsi un moment que nous voulions de ferveur et de gratitude envers Celui qui nous tient en sa Sainte Garde. Ne soyez pas étonnés si le châtiment divin vous atteint... Que la nuit vous aide à méditer et que demain vous trouve tout contrits !

Il se signa. Tous l'imitèrent et récitèrent avec lui le pater. Cette prière terminée, ils gagnèrent lentement les couchettes. Mélançon qui n'était pas très porté sur la religion mais voulait se concilier les faveurs du prêtre dit assez fort pour être entendu de tous :

— Faut toujours qu'il y en ait pour faire les malins.

Personne ne répondit. Fatin s'était attardé pour recharger le poêle et régler le tirage. Arrivé à sa place, Labrèche grommela :

— On est treize. C'est fatal que ça finisse mal.

— Si le curé t'entendait, y t'excommunierait, ricana Billon.

— Je comprends pas qu'on nous foute des garnements de son âge. Ça voudrait mener des hommes, tu lui cognerais sur le nez il en coulerait du petit lait !

Ils se dévêtirent dans la pénombre et prirent place sur ces claies dont le bois craquait. Il y eut encore quelques plaisanteries. Ceux du dessous rappelaient aux autres de ne pas leur piétiner le visage s'ils se levaient la nuit. Des recommandations s'entrecroisaient :

— Celui qui se lève, y remet du bois au feu.

— Demain matin, c'est le gros Mélançon qui nous sert la soupe au lit avec un petit coup de remontant.

Il y eut quelques rires, mais l'altercation avec l'abbé Gauzon avait rompu le charme de cette première veillée. Cyrille Labrèche sentait encore en lui le frisson de sa colère. Il imaginait le jeune prêtre allongé sur sa couchette et demandant au ciel d'attirer sur lui les pires malheurs. La fatigue habitait son corps mais le sommeil ne venait pas. Couché sur le côté, il fixait la lueur du foyer qui dansait contre les rondins en supportant les planches de la table. Il voyait le visage anxieux d'Élodie. Il entendait sa voix implorant comme elle l'avait fait avant leur départ de Montréal :

— Non, Cyrille, je t'en supplie. Je travaillerai chez mon père. Il me l'a offert. Je veux pas partir vers le Nord. J'ai peur, Cyrille. C'est un pays plein de loups.

Il était à demi endormi lorsqu'il lui sembla entendre très loin un long hurlement sauvage.

12

Dès l'aube du lendemain, après avoir bien chargé le feu, les hommes quittèrent leur campe pour s'atteler enfin au défrichage. La nuit enveloppait encore de sommeil les sous-bois de résineux, alors qu'une clarté fauve montait à l'est, derrière la forêt nue.

Les colons avaient décidé d'œuvrer en deux équipes. Garneau, Labrèche, Koliare, Rossel et les deux adolescents s'étaient placés sous la conduite de Billon. Au début, Cyrille et l'Ukrainien s'étaient méfiés de cet homme qui avait sans doute été beaucoup plus aisé qu'eux et leur rappelait leurs anciens patrons. Mais, très vite, ils avaient été conquis par sa bonhomie et son savoir-faire. En hommes habitués au travail, ils admiraient celui qui travaillait bien. Les deux équipes s'étaient formées tout naturellement, bien avant l'altercation avec le prêtre.

— On commence par le lot à Billon, avait décidé Garneau tout de suite approuvé par les autres.

— Pourquoi moi ?

— T'as le lot numéro un.

— T'es le plus vieux.

— Je suis le seul sans enfants avec moi.

— On s'en fout. Tu commandes sur le chantier, pas pour le reste.

Il y avait beaucoup de joie entre eux, parce qu'ils allaient vraiment commencer la tâche pour laquelle ils étaient venus jusque-là. Ils se sentaient soudain portés par cette terre comme ils ne l'avaient jamais été par aucun des chemins où ils avaient posé le pas. Tout restait à faire, mais, sans oser le dire, ils se sentaient déjà un peu des fermiers.

Lorsqu'ils furent à pied d'œuvre et loin des autres qui s'étaient rendus sur le lot Pinguet, Koliare dit :

— Dès qu'on aura monté le campe à Victor, on laissera les autres chez le curé. Quitte à coucher par terre, moi je préfère loger ici. Y peut pas nous obliger à loger avec lui.

Tous approuvèrent. Ils choisirent l'emplacement et commencèrent le débroussaillage et l'abattage. Baissant de quelques degrés, la température avait tué les brouillards des matins. La forêt sonnait comme une énorme futaille bien sèche. Les coups de hache et les éclats de voix portaient loin. Le prêtre allait d'un chantier à l'autre, puis, sa serpe à la main, il gagnait son propre lot et débroussaillait en amateur, traçant de petites allées.

— Vous allez voir qu'il va faire un jardin public, raillait Cyrille.

— Et y fera payer l'entrée.

— Rigole bien, c'est nous qu'on va le débroussailler, son lot.

— Faudra bien, si on veut avoir une église.

Chaque fois qu'il venait près d'eux, le prêtre lançait à l'Ukrainien et à l'ancien charretier des regards à la fois durs et veloutés. Il semblait dire : « Allez, demandez-moi pardon, et tout sera oublié. » Mais les deux hommes s'escrimaient de la cognée, tiraient les troncs, portaient des brassées de branchages sur un grand feu clair qui craquait. Ils évitaient les regards du barbu qui s'en retournait à son lot.

Pour gagner du temps sur les journées trop courtes, ils ne quittaient pas leur chantier à midi. Ils buvaient seulement du thé en y trempant quelques biscuits de mer très durs. Le soir, après le repas, le prêtre les faisait chanter. Koliare avait caché le reste de son gin dont personne ne parlait.

Le cinquième jour, l'équipe Billon en était déjà à tirer des niveaux. Tous les bois étaient prêts, sciés de longueur et empilés. François Garneau et Gauthier Rossel qui s'entendaient fort bien étaient partis pour commencer de débroussailler sur le lot de Koliare tandis que les hommes charpentaient. Il devait être à peu près trois heures de l'après-midi lorsque l'abbé Gauzon arriva en criant :

— Venez tous. Venez tous. Allez chercher ceux de l'autre équipe. Et les deux garçons.

Il semblait bouleversé.

— Y a le feu?

— Bien sûr que non. Le Seigneur nous adresse un signe. Venez tous. Venez, il faut lui répondre.

Les hommes se regardaient, interloqués. Le prêtre avait empoigné Victor Billon par les bras et le secouait en implorant :

— Billon, dites-leur de venir. C'est important. Venez... Venez.

Il pouvait à peine parler tant l'émotion lui serrait la gorge. Tout d'abord portés à rire, les hommes impressionnés par son regard où luisait vraiment une lueur surnaturelle posèrent leurs outils et le suivirent. Courant, s'accrochant aux ronces, trébuchant et manquant vingt fois s'étaler, il les entraîna à travers les sentiers tortueux qu'il avait tracés sur le terrain destiné à son église. Tout au fond du lot, le sol était semé de blocs de granit qui semblaient prolonger un affleurement rocheux dont la masse émergeait pour s'en aller en montant.

Koliare grogna :

— Pourvu que j'aie pas de la roche comme ça au fond de mon lot.

Le prêtre s'était arrêté vers la partie la plus haute de la roche qui le dominait d'au moins trois pieds. Se baissant, il leur montra une fissure qui allait en s'élargissant vers le bas pour former une anfractuosité où l'on eût logé à peu près deux têtes l'une sur l'autre. Un peu d'eau suintait qui avait formé un amas de glace collé au sol de mousses et de lichens.

Ceux de l'autre équipe venaient de les rejoindre lorsque le prêtre se retourna, leva ses bras écartés et lança d'une voix que l'émotion faisait trembler :

— C'est un signe du ciel. Cette roche et cette source sur le lot destiné à notre église. Regardez, mais regardez donc toutes ces pierres. Je sais pourquoi elles sont là.

Plongeant sa main dans la poche de sa soutane où des ronces étaient accrochées, il en tira son bréviaire. Lorsqu'il se mit à le feuilleter, ses mains tremblaient tellement qu'il s'en échappa quelques images. Les hommes les plus proches de lui se précipitèrent pour les ramasser. Alors, ce fut comme si le ciel, le vent, la lumière du soleil unissaient soudain leurs forces pour les communiquer au prêtre. Les hommes crurent un instant qu'il allait s'élever de terre et monter droit vers la cime des arbres tant son visage semblait illuminé.

Saisissant le poignet du petit Gauthier Rossel qui lui tendait une image, il leva les yeux en disant :

— Je ne regarde pas, réponds-moi sans tricher : est-ce bien la première qui est tombée de mon missel ?

Infiniment troublé, l'adolescent fit oui de la tête.

— Réponds-moi, est-ce bien ça ? Dis-le fort.

— Oui, mon père.

Alfred Pinguet tout de suite suivi par Lafutaie et le gros Mélançon s'empressèrent d'affirmer :

— C'est la première, mon père, on l'a bien vue tomber.

Sans lâcher le poignet de Gauthier, les yeux toujours levés, le prêtre lança d'une voix redevenue forte et plus ferme :

— Que cet enfant dise ce que représente cette image et qu'il lise l'inscription. Je suis certain que c'est elle que je cherchais. C'est Notre-Dame-de-Lourdes. C'est le doigt de Dieu qui l'a sortie d'entre les pages pour que la recueille la main du plus pur d'entre nous.

Le visage écarlate, pressé de toute part et bredouillant, l'enfant dit que la carte représentait une sainte vierge dans une grotte avec des cierges devant. Retournant le petit carton brun, il lut en butant sur chaque mot :

— C'est le 11 février 1858 que la Vierge est apparue ici même à Bernadette Soubirous, humble petite fille d'un modeste meunier.

Sans lâcher le poignet du fils Rossel, l'abbé Gauzon baissa enfin les yeux. Lentement, son autre main s'approcha de l'image qu'il cueillit avec tendresse entre son pouce et son index.

— Regardez, dit-il. Regardez. Est-ce que cet enfoncement du rocher ne ressemble pas à la niche où est la statue de Marie ? Est-ce qu'avec toutes ces roches nous n'avons pas de quoi bâtir ici une grotte qui ressemble à celle de Lourdes ? Je vous le dis, mes fils, ce lieu où vous allez être les premiers à cultiver la terre, les premiers à faire pousser le blé, est béni.

Montrant le suintement de glace, il poursuivit :

— Cette source fera certainement des miracles.

Toujours habité de lumière, son regard noir se fit plus autoritaire. Les ayant tous observés lentement, il ordonna :

— À genoux, mes fils, et prions.

Ils prièrent un moment, puis, quand le prêtre se releva, ils se dressèrent aussi.

— Retournez à votre tâche. Je vais méditer. Je vais demander à la Sainte Vierge ce qu'elle attend de nous.

Ils s'éloignèrent plus lentement qu'ils n'étaient venus. Personne ne soufflait mot. Les visages étaient empreints d'une certaine gravité. Seul le grand Lafutaie souriait, l'air béat. Comme touché par la grâce.

Arrivés au layon qu'ils avaient élargi entre les lots, les deux groupes se séparèrent. Sur le terrain de Victor Billon, le foyer fumait. Rossel y lança quelques fourchées d'épines et de viorne qui se mirent tout de suite à pétiller avant de s'enflammer. Ils œuvrèrent un long moment en silence, puis ce fut Koliare qui dit :

— Tout de même, il a beau en faire un peu trop, le curé, c'est drôle, ces cailloux juste sur le lot de l'église.

— Ça veut rien dire, fit Billon. Ça aurait aussi bien pu tomber sur un autre lot.

— D'ailleurs, dit Labrèche, on a pas tellement inspecté. Sous les broussailles, on va peut-être en trouver pas mal. Pour les sortir de là, faudrait un ou deux chevaux.

— Même si vous en trouvez, affirma Rossel, ce sera pas pareil. Faut pas rigoler avec ces choses-là. Y a sûrement une signification.

— Ce que ça signifie, grogna Labrèche, c'est qu'on aura bien du mal pour les enlever de là avant de pouvoir travailler la terre.

Ils avaient commencé de monter les murs de troncs entaillés à la hache de chaque bout pour qu'ils s'accrochent entre eux.

— Bien ajustés comme ça, observa Garneau, on pourrait les monter sans piliers. Ça se fait.

— Je sais, admit Billon. Je suis même certain que ça

tiendrait, mais je préfère une sécurité. On est en pays de grand vent.

— T'as raison, fit Koliare, ça prend pas de temps et c'est toujours pas le bois qui risque de manquer.

Le jour déclinait vite. Le ciel s'était couvert et plusieurs voix parlèrent de neige.

— Faudrait au moins que ça nous laisse terminer deux campes, suggéra Garneau. On pourrait loger les femmes dans un et nous dans l'autre.

— T'as raison, elles nous feraient la cuisine.

— Elles pourraient même nous aider à débroussailler.

— La mienne, fit Rossel, la hache lui fait pas peur.

Cette perspective, d'être bientôt rejoints par les femmes et les enfants leur donna de l'élan. Éclairés par le grand feu de broussailles, ils étaient encore à l'œuvre quand le prêtre et l'équipe Lafutaie passèrent sur le chemin.

— Venez, cria le prêtre. Il est l'heure. Et j'ai à vous parler. Je veux que tout le monde soit là.

Ils gagnèrent le bâtiment où les uns rechargèrent le poêle tandis que d'autres allumaient la lampe ou ouvraient les boîtes de fèves et de saucisses. Le prêtre allait de droite et de gauche, très excité, demandant à chacun de se hâter. Lorsque la marmite fut sur le fourneau et qu'ils eurent tous quitté leurs grosses vestes, ils vinrent s'asseoir autour de la table. Se plaçant à l'extrémité, le prêtre sortit de sa poche son bréviaire, en tira lentement, religieusement, l'image de Lourdes. La leur montrant bien et les fixant tour à tour de son regard profond qui impressionnait, il se mit à parler comme quelqu'un qui veut aller longtemps :

— Mes amis, mes frères en cette belle terre du Royaume du Nord, j'ai eu tantôt un long tête-à-tête avec notre Sainte Mère à tous, la Vierge Marie. Ce qu'elle attend de nous est simple. Elle nous a désignés pour être les bâtisseurs de ce qui sera l'âme sacrée de cette terre. Le lieu d'où rayonnera la gloire du Royaume qui vous est offert.

Il marqua une pause pour se donner le temps de les regarder tous au fond des yeux. Les visages tendus reflétaient une certaine anxiété. Ces hommes exténués redoutaient pour la plupart qu'on exige d'eux un effort supplémentaire. Seuls les plus fervents chrétiens semblaient déjà heureux de ce qu'on allait leur demander. C'est en les désignant d'un geste du menton que le prêtre reprit :

— J'en vois parmi vous qui ont déjà compris. J'en devine qui vont à la rencontre de Dieu et savent bien ce qu'Il peut espérer d'eux. Dès demain, ceux-là montreront l'exemple. Et chaque jour deux d'entre vous viendront avec moi travailler à ce qui sera une réplique parfaite de cette grotte miraculeuse.

Ayant repris l'image, il la brandissait.

— Vous êtes douze ici, comme les apôtres. Et ce n'est pas non plus un hasard. Vous étiez dix et vous avez avec vous amené deux enfants. L'un d'eux était là quand il a fallu. Vous saurez ne jamais oublier son geste. Deux par deux, c'est donc une journée par semaine que vous donnerez à Dieu en plus du temps qu'il nous faudra pour bâtir notre église. Nous transporterons les pierres, nous monterons la grotte, nous...

Comme il cherchait un mot, Koliare demanda :

— On va faire ça maintenant, mon père ? Avant d'avoir monté nos campes ?

— Vous le ferez en même temps. Dieu vous en donnera la force.

Le prêtre avait lancé cette phrase comme une flèche. Il y eut des soupirs énormes, mais tous s'inclinèrent. Se tassant sur eux-mêmes, comme écrasés d'avance par le poids de cette tâche. Seuls Pinguet, Lafutaie et le gros Mélançon se redressaient, heureux de dominer les autres.

Cyrille Labrèche les observa un instant. Il hésita. La peau de son visage maigre s'était encore tendue sur ses pommettes saillantes et ses mâchoires. Elle avait pâli sous la barbe mal faite. Nette, glaciale, sa voix lança :

— Non. Pas moi.

Comme piqué au cœur, le prêtre porta sa main à sa poitrine et recula d'un demi-pas. On put croire un instant qu'il allait chanceler.

— Comment ? Est-ce que j'ai bien entendu ?

Cet air de grand drame donna de l'aplomb à Cyrille. Son visage se détendit un peu tandis qu'il disait, presque souriant :

— C'est sûr. Vous avez bien entendu, monsieur l'abbé. Je suis venu ici pour travailler sur mon lot. Je ferai les corvées de chemin et j'aiderai à monter l'église parce que c'est une obligation, mais je me refuse à charrier des cailloux pour votre affaire !

— Mon affaire ! Mon affaire ! Vous avez entendu. Je... je vous ferai retirer votre lot. Je ne veux pas de brebis galeuse sur ma paroisse.

Il prenait les autres à témoin, mais, à part le grand Lafutaie qui semblait prêt à faire tout ce que cet abbé lui demanderait, aussi bien sauter à la gorge de Cyrille que fondre en dévotions, à part lui, nul ne semblait vouloir s'engager vraiment dans la querelle. Timidement, Billon murmura :

— C'est qu'on a déjà pas mal à faire.

Koliare grogna :

— La grotte, on pourrait la construire dans l'hiver prochain..

Le prêtre préféra agir comme s'il ne les avait pas entendus. Tourné vers Labrèche, il répéta :

— Vous serez chassé d'ici.

Cyrille que la colère empoignait si facilement était d'un calme qui surprenait tout le monde. Bras croisés, comme un homme qui n'est pas du tout disposé à bouger, il répliqua :

— Pas du tout. Je serai pas chassé. Je m'en vais. Votre lot, vous pouvez le garder.

Alors que le prêtre restait sans voix, l'ancien charretier se leva lentement, fit un pas en direction de sa couchette et dit :

— M'en vas préparer mon sac. Et je peux même vous dire que si la lune donnait, j'attendrais pas demain matin pour partir.

Lorsqu'il eut gagné le fond de la pièce, il y eut un silence avec quelques raclements de gorge et le pétillement du feu. Le piétement de la table craquait quand un homme s'appuyait plus lourdement.

Cyrille avait ouvert son sac sur sa couchette et, avec beaucoup de soin, il pliait son maillot, sa chemise et des chaussettes de rechange. Billon se leva. Son regard de brave homme interrogea le prêtre qui demeura de marbre. L'ancien maçon alla rejoindre Labrèche. À mi-voix, il dit

— Fais pas de bêtises, Cyrille. Pense à tes petits Faut manger.

— Y mangeront, dit Cyrille. J'ai des bras et je suis pas fainéant. C'est pas la terre qui manque.

Koliare arriva à son tour. Les autres s'étaient mis à bouger et à parler pour s'occuper du repas. L'Ukrainien empoigna l'épaule de Cyrille et serra fort en secouant.

— T'as encore plus sale tête que moi, bon Dieu. Je te jure que ça étonnerait ma pauvre mère si elle était encore de ce monde. Allez, reste avec nous. Sa grotte, tu peux me croire, y va l'attendre un moment.

Cyrille se redressa. Il était toujours étonnamment calme. Les fixant tour à tour, il dit :

— Un jour, j'ai manqué tuer un gars qui m'avait cherché. (Il serra les poings et respira fort.) Lui, peut-être que je le crèverai. Ça dépend des moments. Des fois, je me connais plus. J'aime mieux partir avant.

Ils ne dirent plus rien. Ils se regardèrent longuement. Un échange d'une extrême intensité où se lisaient mille et mille choses que nul mot n'aurait su exprimer.

13

— Sɪ tu sèmes ton blé, tu récolteras au moins de quoi pétrir ton pain. Si tu fais une terre, ton fils aura au moins ce bien qu'il agrandira. Si tu bâtis ta maison, les tiens auront un toit dont nul jamais ne viendra leur contester la propriété !

Ainsi s'étaient mis à parler les tribuns dans leurs discours et les prêtres dans leurs sermons. Lorsque les hommes au pouvoir s'étaient sentis impuissants à maîtriser la crise, quand les rues et les places, sous leurs fenêtres, avaient été envahies par des milliers de malheureux réclamant de l'embauche, la peur de se voir débordés les avait empoignés. Il devenait urgent de vider les grandes cités où un vent de révolte commençait à gronder. Puisque tous ces gens manquaient de pain, il fallait les pousser à le cuire eux-mêmes. Et plus ils seraient loin, moins le risque serait grand de les voir revenir.

Alors était née l'idée de la colonisation des territoires encore incultes. Et comme il fallait à l'État un bon outil de propagande, il s'était tourné vers la toute-puissante Église. En un grand congrès de colonisation, les uns et les autres avaient scellé une Sainte Alliance. Ensemble, les ministres et les évêques s'étaient penchés sur les cartes. Tout de suite, leurs regards avaient cherché du côté des contrées les plus éloignées. Pensant aux métaux précieux, aux bois et aux cuirs qui arrivaient déjà du Royaume du Nord, c'est sur ses immensités encore vierges qu'ils avaient posé le doigt. Le fait que le chemin de fer traverse cette contrée leur apparut à la fois comme une commodité et un signe de la providence. Alors, aussitôt le congrès terminé, la publicité s'était organisée. Le verbe fut partout. Coloré et parfumé d'encens, vibrant d'émotion, laissant adroitement peser quelques menaces. Si ces terres du Nord étaient mises en exploitation, le pays serait sauvé de la disette et de la révolte. Il le devrait aux courageux colons et il saurait s'en souvenir. Que ceux qui hésitaient encore pensent aux pionniers partis créer les premières paroisses alors même que nulle voie d'accès n'existait. Si Dieu avait imposé aux hommes l'épreuve de cette terrible crise, c'était pour les pousser vers des richesses qu'ils avaient jusqu'alors ignorées. Par cette épreuve, le Tout-Puissant voulait leur crier : « Je vous ai fait don de la terre entière, vous n'avez cultivé que ce qui vous semblait le plus facile. Mais c'est l'immensité qui vous appartient. C'est jusqu'aux confins de l'éternel hiver que vous pouvez aller arracher au sol les trésors qu'il garde pour vous depuis la nuit des temps. Vos descendants vous béniront comme vous bénissez la mémoire des premiers découvreurs du Nouveau Monde : ils chanteront vos louanges comme vous chantez les louanges des vieux défricheurs de la vallée du Saint-Laurent. »

Alors, les agents des terres, les géomètres, les agronomes du gouvernement, bientôt suivis par les prêtres de la colonisation, s'étaient enfoncés dans la forêt. Négligeant les pistes sinueuses des Indiens, des coureurs de bois, des chercheurs d'or, ils avaient tracé tout droit des sentes appelées à devenir des rangs. Ils avaient quadrillé le pays sur le papier et dans le bois, en marquant des arbres et en ouvrant des lignes d'arpentage. Sur des registres, ils avaient répertorié des cantons et créé des paroisses bien avant que soit donné le premier coup de hache. Et toutes les femmes, tous les hommes venus des villes les avaient suivis pour faire de la terre. Tous rêvaient de liberté, d'espace, de propriété et de droit à l'espoir.

Lorsque les trains fumaient dans les gares de départ, les évêques venaient bénir les colons, les tribuns improvisaient un ultime discours, les religieuses distribuaient des vêtements, des vivres et des images pieuses. On se groupait autour des autorités civiles et religieuses, on souriait, on levait sa casquette pour la photographie souvenir. Le lendemain, cette image paraîtrait à la première page des journaux avec des extraits des discours qui donneraient à d'autres l'envie de partir.

Bientôt les prêtres ne se contentèrent plus de prêcher dans les églises où certains ne venaient plus. Ils gagnèrent la rue et se mirent à parler aux gens grelottant dans les longues files d'attente formées aux portes des bureaux d'aide sociale. Ils disaient que les secours ne dureraient pas toujours et que, au Royaume du Nord, les premiers arrivés auraient le choix des parcelles. Et les gens tiraillés par la faim écoutaient pieusement, car c'était le temps où le prêtre était vraiment le représentant de Dieu sur la terre. Quand un évêque passait, tout le monde s'agenouillait dans la boue du chemin. C'était le temps où tout était péché, où le diable guettait les désœuvrés à chaque coin de rue. Partir pour cultiver la terre, c'était à coup sûr échapper à ses pièges. C'était sauver son âme en même temps que sa vie.

14

L'AUBE était grise. Lourde et basse comme si le ciel eût cherché à écraser le froid sur la forêt. Mais le froid passait. Chaque vague fuyait, poussée par une autre. Cyrille marchait vite. Son sac sur le dos, sa hache sous le bras. Il avait mangé avec les autres. Repas sans un mot sous l'œil à la fois courroucé et incrédule du curé barbu. Lorsqu'il était sorti, ceux de son équipe l'avaient entouré. Encore une fois, mais sans conviction, ils avaient cherché à le retenir. Tous lui avaient serré la main longuement puis, comme il allait les quitter, le grand Koliare l'avait emprisonné dans ses interminables bras durs comme du bois. Cyrille avait murmuré :

— Sûr qu'on est pour se retrouver.

— Sûr... Si t'as besoin de quoi que ce soit, tu vas au Magasin Général. Tu demandes Steph. C'est le fils. Un bon gars. Y t'aidera.

Cyrille marchait avec cette seule idée en tête que ce nommé Steph pourrait l'aider. Il s'accrochait à ce nom pour chasser de lui l'envie qui l'habitait de faire demi-tour et d'aller rosser Zacharie Gauzon. Se battre, c'était dans sa nature. Il l'avait fait souvent et pour moins que ça. Cependant, en épousant Élodie, il lui avait juré de s'amender. Et, depuis six ans, il tenait. Cent fois il avait fait le poing dans sa poche. À présent encore, plus péniblement que jamais, tout en sachant que lever la main sur un prêtre était le plus grand crime qui puisse se commettre.

Il marcha vite et fut rendu à Saint-Georges plus rapidement qu'il ne l'espérait. Aucune idée précise n'était en lui, simplement il se répétait qu'il irait se dénicher un lot tout seul. Qu'il essarterait seul. Qu'il monterait seul son campe où il ferait venir les siens pour vivre avec eux loin de tous les curés de la création. Il avait toujours détesté les prêtres. Cette fois, il était bien décidé à s'en dégager. Les prêcheurs leur avaient assez seriné que l'immensité leur était offerte. Eh bien, il allait s'approprier quelques acres de cette immensité.

Les fenêtres étaient encore éclairées lorsqu'il atteignit les premières maisons. Au lieu de se diriger directement vers le bâtiment où étaient les femmes, il se rendit au Magasin Général. Il se sentirait plus de force pour annoncer à Élodie ce qui s'était passé, lorsqu'il aurait au moins l'assurance de ne pas partir les mains vides. Il entra dans la partie du bâtiment où l'on vendait l'outillage. Un vieil homme rondelet sortait d'une caisse des paquets de clous.

— Qu'est-ce que tu veux ?

La voix du vieux tremblait comme sa longue moustache blanche jaunie à droite par son éternel mégot qui le faisait cligner de l'œil.

— Salut. T'es le patron ?

— Je voudrais bien, fit le vieux.

— On m'a dit de demander un nommé Steph.

Le vieux s'apprêtait à répondre lorsque, de derrière des étagères chargées de boîtes, de caissettes et de matériel en cuivre, sortit un grand gaillard blond d'une trentaine d'années, solide mais quelque peu empâté.

— Salut. C'est moi que tu viens voir?

— C'est Koliare, l'Ukrainien, qui m'envoie.

— Viens par là.

Steph le conduisit à l'autre bout du magasin encore désert et dit :

— Tu sais, je peux juste t'en vendre une bouteille. Mais faut pas qu'on sache d'où ça vient. Puis faudra jamais m'en demander si tu vois d'autres personnes dans le magasin.

Cyrille se mit à rire et l'autre parut étonné.

— Qu'est-ce que t'as?

— C'est pas ça que je viens chercher. Peut-être je t'en prendrai un jour. Pour l'heure, j'ai pas les moyens.

Cyrille expliqua d'où il venait et raconta ses démêlés avec l'abbé Gauzon. Le grand blond aux yeux clairs écoutait en hochant la tête. L'histoire de la bouteille trouvée dans la rue parut l'amuser beaucoup. Quand ce fut terminé, il dit simplement :

— T'as pas eu de chance. Chez les prêtres de la colonisation, y a des braves gens. Celui-là, je l'ai à peine entrevu. Paraît que c'est le neveu d'un évêque.

Ils parlèrent encore de cette affaire de grotte qui étonnait beaucoup Robillard.

— Et alors, qu'est-ce que tu vas faire?

— M'en vas me prendre un lot dans un coin tranquille et m'en arranger tout seul...

Steph l'interrompit :

— Ça, t'as pas le droit. Si tu t'installes sans passer par l'office de colonisation, tu seras tenu pour squatter et on pourra t'expulser même si t'as déjà défriché tout un lot.

Le visage de Cyrille se crispa. Cette fois, il sentait monter la colère Steph le devina et prit les devants :

— T'affole pas. Pas besoin de curé. Tu vas voir l'agent des terres. Le bonhomme Faivre. C'est un arrangeant.

D'ici une heure y sera à son bureau. Je suis certain qu'il va te trouver un lot à ta convenance.

Robillard revint encore sur cet incident dont la violence semblait vraiment le surprendre beaucoup. Il disait que plusieurs colons avaient déjà eu à se plaindre des prêtres, mais jamais à ce point.

— Celui qui sait pas se tenir bien dans leurs papiers, généralement il est désavantagé quand il y a des répartitions de choses gratuites. Mais ça va jamais plus loin.

Fronçant les sourcils, il ajouta d'une voix plus dure :

— En tout cas, s'il est venu ici pour faire la police des alcools, c'est une autre affaire.

En attendant l'heure d'ouverture du bureau des terres, ils se mirent d'accord pour un achat d'outillage à crédit. Puis Steph demanda :

— D'ici que tu te montes un campe, tu vas coucher comment ?

— Justement, l'Ukrainien m'a parlé de toile que tu pourrais me louer avec une petite traîne.

— Celui-là, y sait tout. Y met son nez partout.

Il entraîna Cyrille vers la réserve. Ils en traversèrent la pénombre en louvoyant entre les caisses et les sacs qui dégageaient une bonne odeur mêlée où dominaient le café, les épices et le chocolat.

— Un stock pareil, observa Cyrille, ça en représente, des sous !

Le fils Robillard ne répondit pas. Ils sortirent par une porte basse qui donnait sur un espace encombré de caisses vides, de rondins empilés, d'un grand chevalet à scier, de billots et de quelques tonneaux dont plusieurs étaient défoncés. Ils traversèrent cette cour, puis, par une étroite allée centrale, un large jardin par-delà lequel était montée une baraque de bois rond dont Steph poussa la porte d'un grand coup d'épaule. Une forte odeur de tanin et de viande faisandée stagnait.

— C'est le campe de mon oncle. Ma mère appelle ça son antre. Lui, il est monté vers Fort Georges avec des chiens pour acheter un lot de fourrures. Je m'en vas te prêter une traîne avec sa petite tente.

Il déplaça tout un bric-à-brac de boîtes, de sacs et de bidons, tira un baluchon de bâches, des piquets ficelés et un petit traîneau.

— Avec ça, t'es tranquille.

— Il en aura pas besoin?

Le grand gaillard eut un éclair d'admiration dans le regard. Avec un sourire d'envie, il dit :

— Y s'en sert jamais, quand il est tout seul. Il aime mieux dormir entre deux feux, avec ses chiens en rond autour de lui... Des fois, y reste deux mois sans revenir, avec des sacrées tempêtes ! Des couvertures en peaux, je t'en prête aussi, il en a pas mal.

Steph émit un long soupir, puis, se reprenant très vite, il ajouta :

— Tu laisses tout ça ici. Tu repasseras quand t'auras vu Faivre. Je te montrerai comment on monte la tente. T'as double paroi avec la toile de sol cousue après. Même avec la pire poudrerie, t'es comme chez toi. Je vais aussi te prêter des raquettes. Si ça tombe épais, tu seras bien aise de les avoir. Fais seulement attention que les renards te bouffent pas les lanières.

— Pour l'outillage et les provisions, comment je vais te payer?

— Chez nous, dit le grand blond, on accorde crédit aux colons jusqu'à leur première récolte. C'est ma mère qui a voulu comme ça, à cause de tout ce qu'on a enduré en arrivant.

Cyrille eût aimé remercier. Mais sa gorge venait de se serrer d'un coup. Ils gagnèrent le magasin d'épicerie où deux clientes parlaient avec la grande femme que Cyrille avait vue le soir de leur arrivée.

Steph le conseilla sur ce qu'il devait emporter et c'est seulement au moment de sortir qu'il lui demanda son nom pour ouvrir un carnet.

— Chaque fois que tu viens, on inscrit.

— Tu veux que je signe ?

Le grand blond planta son regard clair dans le sien. Il sourit et dit :

— Non. Ici, on fait confiance. On espère seulement que quand t'auras fait fortune, tu continueras de te servir chez nous.

— Ça, faudrait être salaud pour oublier ce que tu fais !

Il fit trois pas et Steph le rappela.

— Dis donc, le bonhomme Faivre, y a pas meilleur gars. Seulement, il n'est ici que depuis deux mois. Y connaît pas encore bien le pays. Essaie de lui demander un lot pas trop loin de la voie ferrée. La terre est pas pire qu'ailleurs, et tant que tu veux pas faire du charroi avec des bêtes, t'as pas de chemin à ouvrir.

Cyrille remercia, puis, avant de faire demi-tour, il ajouta fièrement :

— Tu sais, je suis charretier de métier. Je livrais le charbon. Dès que je pourrai m'acheter un cheval, c'est pas d'ouvrir une route qui me fera peur. Et si t'en connais qui ont des chevaux et pas de charretier, tu peux m'appeler. Je suis toujours prêt à rendre service.

15

CYRILLE pénétra dans le bâtiment d'accueil vers le milieu de la matinée. À la manière dont Élodie se précipita vers lui, il comprit qu'il était attendu. Le regard des autres aussi en disait long. En un éclair il imagina un message envoyé par l'abbé Gauzon et se vit en train d'étrangler le grand Lafutaie.

Immobilisé près de la porte par l'étreinte fiévreuse d'Élodie, par les trois enfants qui lui grimpaient après, il interrogeait des yeux la grosse Charlotte et ses amies qui faisaient cercle autour d'eux. Les autres biglaient de loin comme s'il eût apporté le diable dans sa musette. Tout le monde se mit à piailler en même temps et Cyrille eut du mal à démêler tout ça. Il finit par comprendre qu'une femme l'avait vu acheter des provisions et préparer du matériel de coureur de bois. Comme on le tenait déjà pour un peu fou, il avait fallu peu de temps pour qu'on annonce qu'il s'était battu avec ceux du rang trois et partait chercher de l'or dans le Grand Nord avec une bande de prospecteurs ivrognes. Il avait fallu la poigne et le bon sens de Charlotte pour empêcher Élodie de sortir en chemise de nuit pour se lancer à sa recherche.

Cyrille fut d'abord secoué d'un rire nerveux qui gagna quelques-unes des femmes. Cependant, il avait tellement retenu de colère la veille au soir qu'il fut déçu de n'avoir pas un cul béni du genre Lafutaie à se mettre sous la dent. À grand-peine, il parvint à gagner le fond du bâtiment où il put poser sa grosse veste de charbonnier. Comme Élodie et les enfants continuaient de s'accrocher à lui en le harcelant de questions, comme les femmes de ses amis s'en mêlaient aussi, c'est à toutes ces bavardes qu'il s'en prit d'un grand coup de gueule qui fit taire tout le monde :

— Tonnerre de Dieu! Vous allez peut-être me laisser m'expliquer, oui! Qu'est-ce que vous savez? Rien de rien! Les ragots d'une cautaine. (Il eut un regard incendiaire en direction des femmes retirées à l'autre bout de la pièce.) Vous vous montez la tête avec des sornettes!

— Il a raison, lança Charlotte. Laissez-le causer. D'abord, Cyrille, je vais te donner un bol de thé.

Elle s'éloigna en direction du poêle; le silence succédant à la bourrasque était tel qu'on n'entendait que le frottement de ses savates sur le plancher.

Au bord des larmes, Élodie parvint à dire :

— Tu reviens, et tu vas au magasin puis je sais pas où, avant de passer ici.

Se tournant vers elle et voyant son visage bouleversé, Cyrille parvint à se dominer.

— C'était trop tôt pour venir réveiller les enfants.

— Mais qu'est-ce que tu fais?

Il but une gorgée de thé brûlant.

Son coup de gueule avait tenu les femmes à l'écart, sauf Élodie et Charlotte. Il marqua un temps. Sa fureur était là, toute palpitante comme une bête prête à se redresser, mais il ne voulait pas la laisser faire. Surtout pas la laisser mordre Élodie qu'il aimait plus que tout au monde. Charlotte Garneau croisa ses bras sur son énorme poitrine et lança :

115

— Je parierais gros que t'as eu un différend avec l'abbé !

Cyrille posa le bol fumant sur une caisse. Maîtrisant encore sa colère mais d'une voix déjà dure, il répliqua :

— Parfaitement. Et c'est une chance que je l'aie pas massacré !

Sans laisser personne placer un mot, il raconta très vite, et d'une voix forte, ce qui s'était passé. Même les femmes retirées à l'autre bout du bâtiment pouvaient l'entendre. Quand il évoqua la grotte et la Vierge, plusieurs d'entre elles tombèrent en prières. Lorsqu'il se tut, il y eut un épais quartier de silence. L'air était lourd d'une forte odeur de choux montant d'un chaudron qui soulevait son couvercle presque sans bruit pour cracher sa buée à larges goulées. Puis, dans ce calme, les sanglots d'Élodie suivis tout de suite de bruits de pas, de frottements de bâches, de murmures et de cris d'enfants. Cyrille s'approcha de sa femme. La serrant contre lui, il dit doucement :

— Pleure pas... pleure pas, mon petit.

— Qu'est-ce qu'on va devenir ?

Il expliqua qu'il venait de voir l'agent des terres et qu'il allait partir avec lui chercher un autre lot.

— Je veux partir avec toi.

— Ça va pas, non ! Je viendrai te chercher avec les petits quand j'aurai monté un campe.

Il y eut un autre moment de grande confusion avec Élodie qui ne voulait pas que son homme couche seul dans la forêt, les enfants qui s'accrochaient de nouveau à lui en hurlant, et quelques femmes qui s'en mêlaient à tort et à travers. Charlotte Garneau ramena le calme. Mais Élodie continuait de pleurnicher et la grosse lui lança :

— Je comprends pas que tu chiales pour cet ostrogot. Quand on a affaire à des fous, vaut mieux les sentir loin des autres. T'inquiète pas, de la carne pareille, même les loups en voudraient pas.

Il y eut quelques ricanements. À travers les coups d'œil qu'elle lui lançait, Cyrille sentit chez cette femme une espèce de complicité. Comme Élodie levait un regard interrogateur vers son homme, Charlotte prit les devants.

— T'inquiète pas, fit-elle, il a trop besoin de toi pour prendre un lot aux cinq cents diables.

Cette fois, contenant mal son envie de provoquer une vraie détente, elle s'approcha de Cyrille qu'elle empoigna par le devant de son pull-over pour le secouer en criant :

— Toi, espèce de traîne la grolle, tu terrorises ta pauvre petite femme, mais moi, tu me fais pas peur. En tout cas, si tu crèves de froid sous trois pieds de neige, compte pas sur moi pour te porter des fleurs !

La femme de Billon eut un geste de lassitude et soupira.

— Ma pauvre Charlotte, des fleurs à cette saison, qui est-ce qui en trouverait...

Cette fois, il y eut un vrai rire. Même Cyrille s'y laissa aller. S'asseyant sur le bord du lit à côté d'Élodie, il lui emprisonna l'épaule dans sa longue main rêche et la serra contre lui. Elle laissa aller sa tête sur son épaule et dit :

— T'iras pas trop loin. Puis tu reviendras me dire où c'est.

— Sois raisonnable, mon petit. Le bonhomme Faivre va me montrer où je peux m'installer. Puis y reviendra me trouver dans quelques jours pour tracer les limites de notre lot. Y te donnera des nouvelles. Faut pas que je perde de temps. Si la grosse neige arrive...

— Justement, faut pas...

Ils étaient partis pour un bon moment de discussion sans violence. Entraînant les enfants, Charlotte sortit de leur compartiment en disant :

— Je vais lui préparer de quoi se caler l'estomac avant de partir.

Dès qu'ils furent seuls, Élodie essaya de le renverser sur le lit en murmurant :

— Attends au moins à demain. Fais-le pour moi.

Mais Cyrille se leva.

— Non. Je peux pas. Faivre sera à la gare avant midi.

Ils regagnèrent le centre du bâtiment où Charlotte et quelques autres femmes attendaient. Cyrille expliqua comment le travail marchait sur le rang trois. Charlotte avait tiré du chaudron une grosse saucisse qu'elle posa sur une assiette et piqua profond de la pointe de son couteau. De la graisse ruissela sur la peau tendue d'où montait une buée qui mettait l'eau à la bouche.

— T'as de la chance, dit-elle à Cyrille. Je l'avais mise à cuire de bonne heure pour qu'on la mange froide. C'est plus économique. Ben toi, tu vas la manger chaude.

Elle le servit. Femmes et enfants le regardaient manger lentement les choux et les pommes de terre brûlants.

— Quand tu seras tout seul à te geler les fesses, t'y penseras souvent, à ma soupe, maudit fou, ricana Charlotte. Tout compte fait, j'aime mieux te sentir loin, t'as trop le même caractère que moi, on se lancerait des haches avant trois lunes.

Son regard démentait ses propos. On y lisait une tendresse et peut-être même un brin d'admiration. L'ancien charretier en fut touché et Élodie aussi qui lui serra le bras très fort.

— Si t'étais pas là, ma grosse, fit Cyrille, je m'en irais pas. J'oserais pas laisser ma femme et mes petits. Avec toi, je suis...

Il fut interrompu par les autres qui se récriaient :

— C'est gentil pour nous, ce que tu dis là.

Faussement courroucée, Charlotte cria :

— Et pour moi, alors ! Voilà que c'est ma faute si cet exalté s'en va. On aura tout entendu !

Après tant de tension, après les larmes et les cris, tout le monde avait besoin de joie. Le départ de Cyrille prenait soudain un petit air de fête. La querelle avec le prêtre et les menaces de la solitude dans l'hiver semblaient oubliées. Lorsqu'il eut mangé trois grosses tranches de saucisse et mis dans son sac la moitié d'une miche, les femmes de ses amis l'accompagnèrent à la porte et même les autres s'approchèrent. Il fallut absolument habiller Clémence et Paul qui tenaient à l'aider à tirer sa traîne jusqu'en haut de la montée conduisant à la gare. D'autres enfants sortirent aussi. Après les embrassades dans les larmes et les rires, il passa la bricole de son traîneau sur son épaule et la voix de Charlotte domina les autres.

— T'es plus le charretier, t'es la bourrique. Ça te fait les pieds, grand voyou !

Le dernier mot eut du mal à passer. Et la plupart des femmes regardèrent à travers une buée de larmes l'homme monter la côte en courant, talonné par sa traîne que les enfants poussaient en riant et en lançant des cris stridents.

Le vent avait élimé par endroits le rideau gris du ciel. Un soleil tamisé désignait d'un rayon hésitant un point lointain sur la masse sombre de la forêt.

Deuxième Partie

À L'ENCONTRE DU VENT

16

Lucien Faivre guettait derrière la fenêtre de la gare. Dès qu'il vit monter Cyrille, il sortit et gagna le chemin de ballast. Cyrille se retourna et cria aux enfants :

— Allez ! C'est bien. Et soyez sages !

La bande redescendit en courant, excepté Clémence qui vint à lui. Il se baissa, l'étreignit très fort et murmura :

— Va, ma chérie. Tu es grande. Fais attention à tes frères.

Muette, retenant ses larmes, l'enfant demeura immobile pour le regarder s'en aller.

— Ça fait rien, fit l'agent des terres, faut que tu sois complètement fou.

Ils marchèrent un moment en silence. Cyrille avait passé la bricole de sa traîne sur son épaule. Faivre allait de son pas lourd, les mains enfoncées dans les poches de son énorme canadienne. Après un temps, il dit :

— Ce que je fais, c'est pas bien régulier. J'espère seulement que cet animal d'abbé Gauzon me fera pas arriver des ennuis. Avec son oncle évêque, on sait jamais.

Cyrille ne disait rien. Il avait crâné devant les femmes, mais, à présent, un petit quelque chose lui serrait la poitrine.

— J'ai recherché dans les rapports, reprit Faivre. Y a

un certain Lepage qui a étudié la question des terres
asséchées à droite de la voie. Paraît qu'en ouvrant, les
ingénieurs ont pratiquement vidé un petit lac qui doit se
trouver à peu près à une heure d'ici. On devrait le repérer
facilement, y a un drain qui passe sous la ligne.

— Vous croyez que ce serait bon?

— C'est toujours les meilleures terres. Et puis, t'aurais
déjà une bonne partie de défrichée.

— Alors, si c'est les meilleures terres, pourquoi on y a
pas ouvert un rang?

Le gros homme sortit ses mains de ses poches pour
ébaucher un geste d'impuissance.

— Ça, mon vieux, l'administration...

— En montant, depuis le train, on a vu des belles
fermes sur des grandes terres.

— Certain qu'un jour y s'ouvrira des rangs tout le long.

Cyrille s'arrêtait de loin en loin pour passer sa bricole
d'une épaule à l'autre.

— Veux-tu que je te reprenne un moment? offrit
Faivre.

— Ferait beau voir!

Le gros homme s'arrêta lui-même pour souffler et dit :

— C'est vrai que, même chargé, tu vas comme si
t'avais le feu au cul.

Cyrille allait, poussé par une sorte de joie rageuse. On
l'avait traité de tête de bois, il se répétait « laisse faire la
tête de bois ». Et il marchait vers un inconnu de liberté, où
il ne serait pas soumis à un curé qui n'avait jamais de sa
vie touché un outil. Il puisait son élan dans son mépris
pour ce prêtre ; son pas s'accélérait par moments comme
pour allonger la distance qui allait le séparer du barbu.

Par places, sur le sentier, le nordet avait râpé la neige et
le ballast affleurant freinait le traîneau. Dans les passages
qu'abritaient des buissons tout proches, d'anciennes

traces de pas ou de patins marquaient la couche plus épaisse. Là, c'était le vent des trains passant à peu près tous les trois jours qui soufflait le plus fort. Des plaques de glace craquaient aux endroits où les locomotives avaient craché de l'eau. Devant, la percée rectiligne fuyait à l'infini jusqu'aux limites de la vision où dansaient des vapeurs d'arc-en-ciel. Dans les passages étroits et difficiles, Faivre se portait en arrière pour aider en soulevant ou en déplaçant latéralement la traîne.

Après plus de deux heures de marche, ils remarquèrent, en contrebas, comme une route toute blanche çà et là percée de gros yeux sombres et vivants. C'était le ruisseau déjà couvert d'une couche de glace que crevaient encore les eaux à l'endroit où jaillissaient des sources. Faivre dit :

— J'y suis jamais venu, mais on devrait pas tarder de trouver des grosses épinettes avec moins de broussailles.

Ils continuèrent jusqu'à un endroit où le sol partait en pente plus douce. De beaux épicéas l'occupaient, assez espacés pour qu'il fût aisé de s'engager entre les troncs.

— Arrête une minute, ordonna Faivre.

Cyrille retint sa traîne. L'agent des terres tira la hache dont le manche était passé sous des courroies d'arrimage. Il marqua un tronc d'une large entaille en disant :

— Faut toujours faire ça. Si un gars veut te trouver, il a pas à chercher. Puis même toi, après une tempête, ça peut te rendre service.

Ils s'enfoncèrent dans le sous-bois où la principale clarté venait de la neige très mince. En dessous, on sentait l'épaisseur des aiguilles et des mousses. Faivre continuait à marquer un arbre çà et là. Le sol cessa de descendre pour se faire moutonneux. Ils durent obliquer à plusieurs reprises pour éviter des broussailles ou des creux trop spongieux sous une glace friable.

— Doit y avoir des sources pas froides du tout, observa l'agent des terres.

Il leur fallut également couper quelques branches basses et dégager des troncs encroués. Le bois se faisait plus dense, mais Faivre répétait :

— Faut continuer. Ça s'éclaire.

En effet, par-delà les arbres, on devinait un espace dégagé.

— Faudra que tu te fasses un chemin plus droit que ça jusqu'à la voie.

— Craignez rien, je le ferai.

Enfin ils débouchèrent sur un vaste découvert où ne poussaient que de grosses touffes d'herbes, quelques viornes et des épines encore jeunes que l'on devinait sous la neige.

— C'est bien ça, dit Faivre. Et rien que de voir le coin, je peux te dire que le Steph a eu du flair de nous aiguiller par là. J'avoue que sans lui j'aurais pas eu idée de chercher ce rapport.

Cyrille laissa sa traîne. Ils s'avancèrent sur ce sol qui s'en allait en pente régulière jusqu'à un ruisseau entièrement gelé, pour remonter aussi lentement de l'autre côté, jusqu'à une forêt de mélèzes splendides. Derrière, s'élevait une colline que Faivre désigna de sa mitaine tendue en disant :

— Ça, c'est précieux. Ça barre la route au nordet.

Sur la gauche, s'en allait une boulaie presque sans mélange. Cyrille regardait tout cela et sentait grandir en lui une forte émotion. Est-ce que Faivre n'allait pas trouver le coin trop beau pour l'y laisser seul ? N'allait-il pas courir chercher les autres pour les amener ici ?

Faivre tira de sa poche une petite bouteille plate dont il dévissa le bouchon. Il but une bonne goulée, torcha le goulot d'un coup de moufle et la tendit à Cyrille

126

— Tiens, bois un coup. Y a rien de tel contre le froid. Et c'est pas l'abbé Gauzon qui viendra t'en offrir.

Le rhum était parfumé. Sa bonne brûlure réchauffait l'intérieur.

Cyrille n'osait souffler mot. Il lui semblait qu'après ce qu'il avait dit en arrivant, l'agent des terres ne pouvait plus lui refuser un lot dans ce canton. Pourtant, une espèce de timidité qui n'était guère dans sa nature l'empêchait de parler. Lorsque Faivre eut refermé sa bouteille, il fit quelques pas en direction du ruisseau, se tourna vers l'ouest, puis vers l'est. Les yeux mi-clos, il semblait fouiller partout. Il fit ainsi un tour complet, lentement, se donnant le temps de tout examiner. On devait entendre battre le cœur de Cyrille jusqu'à Saint-Georges. Quand il eut terminé, d'une bonne voix ronde, Faivre dit :

— Moi, je verrais bien ta bâtisse par là. Pas trop loin de l'eau. Un jour, faudra que tu creuses un puits, mais en attendant, l'eau qui coule là doit pas être mauvaise.

Cyrille avait envie d'embrasser le gros homme. Il fut tout surpris de s'entendre rire en répondant :

— Ben ma foi, si vous voulez la goûter.

— Rigole bien. À cette saison, toutes les eaux qui courent sont bonnes, en été, c'est une autre paire de manches. Mais si le coin te plaît, t'auras toujours la ressource de la faire bouillir en attendant le forage.

Il se mit à expliquer que, lorsqu'on ouvrirait un rang ici, le chemin serait certainement tracé le long de la voie ferrée. Il voyait donc, pour les Labrèche, une parcelle allant de la rivière à cette future route.

— Ça te fait à peu près moitié de terre pas boisée et facile à débroussailler que tu pourrais mettre en culture assez vite, et puis, t'aurais tout de même du beau bois pour bâtir et pour te chauffer un moment.

Cyrille bégaya quelques mots qui voulaient être un remerciement et que Faivre n'entendit pas. Regardant du côté des résineux où la traîne était restée, il dit :

— Pour ton campe, tu peux abattre là. Je vais pas te tracer des limites ce soir, faut que je revienne avec un aide. On te fera un arpentage en règle. Tu sais que t'as droit à soixante-cinq acres. Tu dois en mettre trente en culture dans les dix premières années. Ici, t'auras pas de mal à y arriver.

Ils entrèrent dans le bois pour examiner les arbres. Faivre tapait avec ses mitaines sur les fûts de mélèzes.

— C'est du tout bon, ça. T'auras du fameux bois de sciage. Certain que Gendreau te le prendra. Seulement, faudra attendre une route pour le sortir.

Après quelques pas en silence, il fit soudain face à Cyrille.

— T'es une sacrée tête de cochon, toi. Mais tu peux dire que t'as de la veine. J'espère seulement que ce curé va pas te faire d'ennuis. Cette affaire de grotte, ça risque d'impressionner bien du monde.

Cyrille ne répondit pas. Ils parlèrent encore des arbres puis l'agent des terres revint au prêtre pour dire :

— C'est peut-être pas un mauvais bougre, t'as dû le prendre trop raide. Ça doit être un gars de la race des patrons, il aime pas qu'on résiste.

— Les patrons, dit Cyrille sèchement, je les endure quand y me paient !

Ils revinrent en lisière du bois et Faivre dit d'une voix qui tremblait un peu :

— T'es une tête dure, mais tu me plais. Je te souhaite de t'en tirer. Seulement, tu sais, monter un campe tout seul quand on n'est pas du métier, c'est pas une petite affaire. Fais attention à toi en abattant et en montant ta charpente.

— Robillard m'a prêté une poulie.

— Fais tout de même attention. Tout seul ici, y t'arriverait un accident, mon vieux...

Il enleva sa mitaine pour lui serrer la main.

— Je vais filer. Je serai juste rendu avant la nuit. Fais vite un feu et monte ta tente en tenant compte du vent.

— Je sais.

Cyrille regarda le gros homme disparaître dans le sous-bois où l'ombre progressait déjà. Quand le bruit de son pas se fut éteint, le silence parut énorme. Cyrille portait toujours en lui sa joie d'être seul sur une bonne terre, mais l'approche de la nuit lui serrait un peu la gorge. Tirant sa traîne à l'endroit où il avait décidé de monter la tente, il dit pour rompre le silence :

— Là, personne viendra m'emmerder. Et le jour où j'aurai un bon cheval, j'aurai pas besoin d'aide pour ouvrir une route.

17

Avec le crépuscule, le vent avait pris de la gueule. Il miaulait aigre. Il sautait la colline, s'écorchait à la barrière de résineux, reprenait élan sur l'espace dénudé et la glace du ruisseau pour pousser la poussière blanche contre les obstacles où elle s'accumulait. Par rafales, elle cinglait la tente où Cyrille Labrèche venait de se rouler dans ses couvertures et ses peaux de loup. L'obscurité était totale. La toile vibrait, mais elle saurait résister aux tempêtes. Pour elle, ce vent n'était qu'un amusement.

Après le départ de Faivre, Cyrille avait tout de suite abattu trois petites épinettes, juste de quoi faire son feu. La hache avait réveillé les douleurs de ses membres et les brûlures de ses paumes, mais rien n'était plus aussi acéré que les premiers jours. À présent, il ouvrait et fermait ses mains pour le plaisir de les sentir dures et déjà aguerries. Il respirait à petits coups en déplaçant son visage contre les peaux de bête. Le coureur de bois à qui appartenait tout ce couchage y avait laissé l'odeur de sa sueur et de son tabac. Pipe et tabac noir très fort.

Cyrille eut une pensée pour Élodie et les enfants, mais, ce qui l'occupait surtout, c'était l'idée du travail qu'il allait entreprendre. Au fond, c'était une bonne chose que d'avoir besogné avec Billon. Il avait au moins appris comment s'y prendre pour bâtir. Et il s'était habitué à la hache. Il continuait d'ouvrir et de refermer ses mains lentement. Avec son pouce, il palpait la corne à la pliure des doigts. Chaque mouvement faisait jouer les tendons qu'il sentait se gonfler à l'intérieur de leur gaine. La fatigue des sacs de charbon était loin. Il découvrait des travaux tout neufs. Un monde nouveau. Et l'excitation qui l'habitait l'empêcha un long moment de dormir. Il finit pourtant par sombrer dans un sommeil épais, étranger au vent qui continuait de mener la danse.

Lorsqu'il s'éveilla, l'aube coulait déjà un filet de lumière à l'entrée de la tente.

— Bon Dieu! Je me suis oublié!

Cyrille bondit. Il fut très vite vêtu et chaussé. Il était plus énervé que si un patron grincheux l'eût attendu à la porte d'un entrepôt. Son feu était éteint mais un bon lit de braises vives demeurait en attente sous l'épaisseur des cendres. Des aiguilles de résineux crépitèrent tout de suite et le vent, plus violent que la veille, coucha de belles flammes d'or.

Son thé avalé, Cyrille se mit tout de suite à débroussailler l'emplacement qu'il avait choisi pour sa bâtisse. À mesure qu'il coupait les touffes de nerprun, de viorne, de chèvrefeuille et de camarine noire qui s'entremêlaient, il en tirait de gros paquets qu'il entassait un peu plus loin. Faivre lui avait adressé quelques recommandations : « Tu sais, le Nord, à cause de toutes ces saisons entassées, quand tu fous le feu, on dit que c'est la terre qui brûle. Et c'est vrai. L'humus est tellement léger qu'il arrive à se consumer. Après quand tu laboures, t'as plus rien de bon. » Cyrille était bien décidé à prendre grand soin de cette terre. Sans la connaître, il l'aimait déjà. Il se voyait là, avec un bon cheval, retournant son lot pour y semer du blé qui donnerait de merveilleuses moissons.

131

Lorsqu'il eut parfaitement nettoyé un rectangle de quinze pieds sur vingt, il s'accorda le temps de rouler une cigarette et de boire un gobelet de thé. Examinant l'emplacement du campe qu'il allait édifier, il soupira.

— Ce sera pas grand, mais au moins on sera certains d'avoir chaud. Et c'est du provisoire.

Regardant vers le haut de la colline dont le vent rebroussait le poil, il eut envie d'y monter.

— Plus tard. D'abord le travail !

À la pioche, il égalisa tout autour. Le fer de l'outil sonnait sur le sol gelé comme sur du roc.

Mais cette terre une fois blessée montrait une belle chair noire à reflets de rouille. Parfois des veines plus grises la parcouraient. Cyrille qui ne savait rien la regardait tout attendri. Il s'accroupit, en prit une poignée qu'il flaira longuement. Il murmura :

— Sûrement, c'est une fameuse terre !

Lorsqu'il eut terminé, il mangea puis, reprenant sa cognée et sa hache à ébrancher, il gagna le bois. Là, c'était une autre musique. Le vent fou troussait la forêt, s'engageait sous le couvert et se redressait à grands efforts pour faire craquer et geindre ce corps immense. Ayant quitté sa grosse veste, Cyrille se mit à abattre. Il avait déjà appris à placer son entaille de manière à diriger la chute de son arbre. Il s'appliquait. Il parlait aux épicéas :

— Toi, tu vas tomber juste ici. Je le parie.

Il ébranchait à mesure.

— Toi, tu vas peut-être bien me donner une belle faîtière.

Il laissait le branchage sur place.

— Vous autres, j'aurai tout l'hiver pour m'occuper de vous. Vous allez me faire de l'ouvrage, mais je vous crains pas, sacrebleu. On verra bien qui c'est le plus fort.

Serrant les dents sur sa souffrance, regardant avec une

joie sauvage le sang marquer le manche de ses outils, Cyrille allait à grands coups. Il se sentait gonflé d'une espèce de bonheur tout à fait nouveau.

— La terre, bon Dieu, c'est comme un cheval, si tu fais amitié avec, tu peux en obtenir tout ce que tu veux. Seulement, faut jamais la forcer.

Après une journée d'effort solitaire, beaucoup plus intense que ce qu'il avait connu sur le rang trois, il se sentait déjà bûcheron, laboureur, éleveur. Pour reposer un peu ses mains, vers la fin du jour, il s'était mis à porter les bois qu'il avait déjà coupés de longueur. Soulevant la base, il se chargeait dans un grand effort des reins, il marchait courbé, donnant toute sa force. C'était épuisant. Il transpirait. Il se sentait heureux.

Les lueurs de son feu ranimé où chauffait son repas de conserves s'en allaient jouer jusque sur ces troncs couchés à côté de l'endroit où, bientôt, il commencerait de monter sa demeure. La fatigue l'écrasait, mais la vision d'une petite maison bien chaude où il serait avec Élodie et leurs trois petits était là, lumineuse et pulpeuse, pour lui redonner courage.

18

L'IMMENSE Abitibi n'est qu'une parcelle du Royaume du Nord que venaient conquérir les colons. Marécages, lacs asséchés, sols sableux, rivages croulant sous les arbres nains, terres maigres ou grasses, tout donne élan aux arbres qui mêlent les essences et se livrent un combat sans merci pour l'espace. Sur ces territoires incommensurables, il semble que la place ne manquera jamais et, pourtant, les végétaux se la disputent âprement. Le thuya de l'Est se mêle à l'épinette, au mélèze, au frêne noir et à l'aulne. Le pin gris et le sapin baumier, le saule, le cormier, le sorbier d'Amérique et le thé du Labrador tout rabougri sont aussi voraces les uns que les autres. Ils fouillent sous l'épaisseur des lichens, des lèches et des mousses pour s'accrocher à du solide. Et ceux qui ne parviennent pas à enfoncer leurs racines assez profond, ceux qui ne savent pas s'agripper aux roches souterraines sont culbutés par la violence des vents. Écrasés par les neiges, ils vont pourrir pour enrichir l'humus dont se nourriront les autres.

Sans rien savoir de ce combat de chaque instant, dans les nuits d'hiver, tous ceux qui espéraient en la richesse de la terre dormaient à même son écorce. Ils la sentaient sous le poids de leur corps moulu et l'interrogeaient. D'autres avant eux, depuis des siècles, avaient vécu de la faune de ces forêts, mais, jusqu'à ces années où la faim chassait les gens des villes, bien rares étaient ceux qui avaient tenté d'abattre les arbres et d'ensemencer cette terre. Sans jamais comparer leur pauvre force à cette puissance infinie qui les enveloppait, les nouveaux conquérants du Nord reposaient sur le sol habité sans même s'être jamais demandé si la forêt s'endort parfois.

Et lorsque l'un d'entre eux, réveillé par l'instinct ou une crainte inavouée, se levait pour remettre du bois sur son feu, inévitablement il écoutait battre le cœur de la nuit. Il écoutait la respiration du sol. Les grands corps dressés craquaient. Les têtes chantaient dans le vent haut perché. Les eaux gémissaient, prisonnières des glaces.

Alors, le feu revigoré, quand ils retournaient se couler sous les peaux de bêtes où ils retrouvaient un peu de leur propre chaleur, les hommes, parfois, se prenaient à réfléchir. Ils revoyaient les villes où ils avaient failli mourir. Par la mémoire, ils en parcouraient les rues et les avenues, puis ils s'efforçaient de regarder la forêt avec les mêmes yeux. Mais la forêt leur échappait. Rien ne leur permettait d'en évaluer l'étendue. L'immensité écrase parfois, elle échappe à l'imagination.

Dans ce royaume sans bornes, ils allaient tenter de tailler une brèche à la mesure de leurs forces, c'est-à-dire dérisoire. Ils pouvaient être des centaines et des milliers à unir leur peine pour essarter, ils ne feraient jamais qu'écorcher à peine cette toison serrée qui recouvrait d'un seul tenant une partie du globe.

Ceux qui avaient roulé d'Est en Ouest durant des mois à la recherche d'ur travail savaient mieux que les autres que la forêt n'a pas de fin, et pourtant, eux non plus ne connaissaient rien d'elle.

En cette nuit de novembre pareille à tant de nuits de

gel, ils étaient nombreux à se réveiller souvent, à palper leurs membres perclus en se demandant ce qu'une hache et leurs pauvres forces d'homme pouvaient contre cette richesse fabuleuse qui semblait morte et vide, resserrée sur elle-même, avare de cet humus qu'elle nourrissait et dévorait depuis des millénaires.

19

AVANT les premières lueurs, Cyrille était debout. Il frotta son visage avec ses mains. Sa barbe de dix jours le piquait encore. Il éprouva le besoin de parler.

— Ce coup-ci, je me suis pas oublié.

Il redonna du bois à son feu et s'en alla avec son broc et sa pioche jusqu'au ruisseau. La nuit avait reformé la glace qu'il avait cassée. Les coups sonnèrent loin et le ruisseau sembla un instant vibrer sur toute sa longueur. Ayant rapporté son eau, Cyrille prépara du thé. Le ciel était encore constellé d'étoiles qu'éteignait peu à peu la lueur tiède venue du levant. Le nordet ronronnait, mal réveillé, presque amical.

Lorsque Cyrille eut mangé un morceau de pain et de lard fumé en buvant son thé bien sucré, la lumière était suffisante pour qu'il pût commencer son travail. Afin d'échauffer ses membres progressivement, il commença par tailler des piquets pour marquer les angles de son chantier et pouvoir tirer des niveaux. Ensuite, comme la lumière avait encore grandi, il prit sa petite hache et suivit le conseil de Faivre qui lui avait recommandé d'arranger un peu son chemin jusqu'à la voie du chemin de fer. Il y avait surtout quelques buissons à enlever. Il coupa aussi deux ou trois arbres afin de raccourcir le plus possible le trajet. Ce n'était pas un gros travail, mais Faivre avait raison, mieux valait s'en débarrasser avant les prochaines neiges. Chaque fois qu'un petit arbre tombait, à pleins poumons Cyrille lançait :

— Encore un pour le maudit barbu !

Sa haine pour Zacharie Gauzon se muait en une sorte de rage presque joyeuse. Il frappait comme si la forêt eût appartenu à ce prêtre.

Lorsque, ayant accompli l'aller et retour, il déboucha du bois, il s'arrêta pour tendre l'oreille. Le vent avait cessé de chanter pour regarder monter la lumière. Léchant la cime des arbres de plaine, le soleil embrasait déjà le haut de la colline. Ayant posé ses outils, Cyrille se frotta vigoureusement les mains avant de tirer son tabac de sa poche. Ce silence soudain était presque inquiétant. Même le travail du gel qui fait tout craquer était suspendu. Cyrille demeura un moment avec sa feuille de papier entre ses doigts sans oser un geste. Sous son bras gauche, il serrait ses grosses mitaines. Le froid toujours immobile et muet vint pourtant lui pincer les ongles, l'obligeant à rouler sa cigarette. Le froissement imperceptible du papier puis le frottement de la molette sur la pierre emplirent l'immensité jusqu'à la soie parfaitement tendue du ciel où montait la lumière parcourue de frissons mauves.

— Tout de même, c'est pas rien !

Il avait parlé d'un ton tout à fait naturel, simplement pour entendre autre chose que ce vide total. Sa voix lui parut énorme et pourtant tout de suite absorbée. L'envie le traversa de crier très fort pour se rendre compte de ce que pouvait donner un appel dans ce désert. Il s'emplit les poumons et renonça. Non point qu'il redoutât d'être entendu, mais au contraire, par une sorte de crainte que

138

son cri ne se perde. Il éprouva presque un malaise à la pensée qu'un peu de lui risquait de s'en aller à l'infini sans rien rencontrer que l'écho timide des arbres.

Fixant le sommet de la colline où la lumière grandissait très vite, Cyrille eut envie d'y monter pour découvrir plus largement ce qui allait être son pays. Il traversa l'espace dénudé et le ruisseau. Prenant sa serpe au passage, il avait laissé sa hache près de sa tente. Il progressa sans peine entre les résineux. Plus il montait, plus il découvrit des espaces dénudés. La roche se devinait sous la neige croûtée. Au centre d'une de ces petites clairières, il se retourna. Il en eut presque le souffle coupé. C'était un miroitement sans bornes. Une succession de bleus, de verts lourds et de roux crevant la blancheur dont l'éclat décroissait avec la distance. Au loin, tout se fondait en un chatoiement de roses et de violets sans cesse irisés. La tranchée du transcontinental filait droit jusqu'à se perdre. La forêt moutonnait à peine. Le blanc des lacs et des rivières faisait tache. Çà et là une crevasse ou un trou noir marquait un endroit où le gel n'avait pu terminer son travail. Se tournant vers la gauche, Cyrille vit monter des fumées. Deux, trois assez proches puis d'autres plus lointaines. Les défricheurs avaient allumé des feux. Près de la voie, il remarqua aussi les vapeurs de Saint-Georges et surtout les deux hautes cheminées des scieries qui crachaient gris. Toutes ces respirations de la vie montaient droit pour se fondre dans la pureté du ciel.

C'était toujours le silence. Le vide à l'infini, et pourtant, partout on sentait la présence des hommes.

Par-delà l'Harricana dont les eaux encore vives à certains endroits semblaient de l'encre entre les rives étincelantes, Cyrille parvint aisément à localiser les fumées du rang trois. Beaucoup plus loin, de frêles filets montaient aussi qui devaient être les feux de campements indiens. Il lui semblait que la hauteur où il se trouvait culminait vraiment. Une bouffée d'orgueil l'envahit. Il éprouva presque un peu de pitié pour ses amis restés là-bas. En même temps, il cracha et grogna.

— Saloperie de barbu !

Il était heureux de dominer le bas-fond où le prêtre devait besogner à sa fausse grotte de Lourdes.

Cyrille laissa encore un moment son regard errer de place en place sur ces espaces où la vue finissait par se brouiller, ivre de lumière. Lorsqu'il livrait son charbon en haut de Côte-des-Neiges ou dans les rues grimpant au flanc du Mont-Royal, il avait eu l'occasion de contempler la ville, le Saint-Laurent et les terres filant vers les États. Rien de comparable pourtant. Trop de maisons, de cheminées, de poteaux. Trop de vacarme aussi. Ici, il se sentait au centre du monde. Sur une colline unique d'où partait un déferlement d'arbres qui devait couvrir la surface du globe.

Cyrille retira de ses lèvres son mégot oublié que la salive avait éteint. Il le serra entre ses doigts pour faire tomber la cendre et l'enfouit dans sa blague.

Lentement, il se mit à descendre. Ce qu'il venait de voir l'avait profondément troublé. Il savait que le pays était vaste, mais jamais encore il n'avait pu en mesurer l'étendue. À plusieurs reprises il répéta :

— Bonsoir, c'est pas rien. Sûr que c'est pas rien.

Lorsqu'il traversa le ruisseau, le soleil avait débordé la forêt. La glace et la neige étincelaient. Déjà le vent se remettait à courir, poussant à la surface du sol de longs serpents de lumière qui s'en allaient se perdre dans l'ombre des mélèzes.

20

L E froid venteux semblait bien installé. Il charriait parfois quelques nuages, mais, la plupart du temps, le ciel restait clair. Cyrille l'interrogeait souvent. Dès qu'il le voyait se couvrir, redoutant une forte chute de neige, il se hâtait davantage encore. Il allait de la hache et de la scie à journées longues sans jamais s'arrêter que le temps des repas.

Des animaux s'approchaient parfois de son campement. Ils l'observaient de loin pour détaler dès qu'il ébauchait un mouvement dans leur direction. Les ours noirs étaient les plus hardis. Lorsqu'il en voyait renifler de trop près du côté de la caisse où il tenait ses vivres et ses casseroles, il courait empoigner un brandon qu'il lançait dans leur direction. Les énormes boules noires s'en allaient en grognant et en se balançant sur leurs courtes pattes. Passaient aussi des lièvres, des perdrix des neiges et toutes sortes d'oiseaux inconnus.

— Quand j'aurai des sous, je vas me payer un fusil.

Stéphane Robillard lui avait vendu deux pièges et du fil à collets. Cyrille trouvait toujours les collets vides et les pièges détendus, sans rien entre leurs mâchoires d'acier. Plus adroit que lui, le gibier parvenait à voler l'appât sans se faire prendre.

— Maudits que vous êtes, gueulait Cyrille. J'apprendrai dès que j'aurai fini de bâtir. On verra bien !

Renonçant à perdre son temps, il limita son appétit à ses salaisons, son riz, ses conserves et son biscuit de mer. En quatre longues journées, il lui sembla qu'il avait abattu assez de bois.

— Demain, je commencerai à tailler les encoches.

Il avait toujours eu l'habitude de parler à ses chevaux. Ici, il parlait à tout ce qui se présentait, son travail, le bois, les outils.

Il profita de la lueur du feu pour couper une pige dans une planche de caisse. Le lendemain était un dimanche. Le premier qu'il passerait ici. Élodie lui avait demandé de venir à la messe et de rester jusqu'au lundi matin. Il avait dit : « J'essaierai. » Il savait que ceux du rang trois s'y rendraient. Il eut un ricanement.

— Au pas, derrière le barbu.

Il réfléchit un moment. Perdre une journée alors que la neige pouvait arriver, ce n'était pas raisonnable.

— En tout cas, j'irai pas avant de pouvoir enfermer mes vivres. Les ours me laisseraient rien.

Dès l'aube du lundi, il monta une sorte de fort chevalet qu'il assembla avec des crosses. Là-dessus, il serait à l'aise pour débiter de longueur et pratiquer ses coches d'assemblage. Le travail à la scie était long et monotone. Pour varier un peu, Cyrille alternait le débit et la taille des encoches. Tenant sa pige de quinze pouces contre la bille de sa main gauche, il faisait courir sa lame au ras du bois. Une fois la bille entaillée sur le quart de son épaisseur, il reportait deux fois sa pige et recommençait. Ensuite, à la petite hache, il faisait sauter le bois entre les deux entailles et finissait proprement le travail avec un large ciseau. L'après-midi était déjà bien avancé, il achevait une entaille lorsqu'il eut un sursaut.

— Vous perdez votre temps, Labrèche.

Cyrille se retourna d'un bloc. Un sac de toile noire à la main, une petite hache passée dans son large ceinturon fauve, sa tuque de laine grise enfoncée sur les oreilles, le père Levé se tenait à quatre pas, le visage fendu d'un grand sourire.

— Ça m'ennuie que vous perdiez votre temps, surtout quand c'est du temps volé au bon Dieu.

— Mais, qu'est-ce que vous faites là, mon père ?

— Ce qu'un curé doit faire, mon fils. C'est-à-dire rendre visite à ses paroissiens quand ceux-ci désertent l'église.

Encore mal revenu de sa surprise, l'ancien charretier bredouilla :

— Enfin, mon père, qu'est-ce que vous voulez...

Le prêtre l'interrompit :

— Je ne veux que des nouvelles. Ce n'est pas parce qu'une brebis un peu revêche s'écarte du troupeau que le pasteur doit s'en désintéresser. Au contraire, mon ami. Au contraire.

— A pareille heure...

— Y a-t-il de bonnes et de mauvaises heures pour servir Dieu ?

— Je veux dire, avec ce froid, rentrer de nuit...

Le petit curé se mit à rire.

— Rentrer de nuit ? Ça alors, tu plaisantes, Cyrille Labrèche. Est-ce que tu laisserais ton curé s'en aller de nuit comme une bête ?

— Mais, mon père, je n'ai que cette tente.

Le père Levé qui s'était avancé posa sa main sur l'épaule de Cyrille.

— Figure-toi, mon fils, que j'ai couché sous cette tente bien avant que tu songes à venir sur nos terres. Le gaillard à qui elle appartient m'a souvent emmené trapper avec

143

lui. Nous étions à l'aise tous les deux sous cette toile et pourtant, il doit être deux fois plus large que toi.

Il se dirigea vers le campement, posa son sac et sa hache dont on voyait tout de suite qu'elle avait beaucoup servi.

— Allons, dit-il, range ton fourbi et montre-moi un peu ton domaine.

Cyrille ramassa ses outils qu'il apporta près de la tente.

— Figure-toi, dit le prêtre, que la forêt me manquait. Depuis que ce fichu animal de Raoul a repris ses grandes courses vers le nord, plus personne pour aller piéger, et je n'ai guère le goût d'y aller seul. Alors, je me suis dit : Labrèche ne doit pas être loin de monter son campe, je m'en vais aller lui donner la main un jour ou deux...

Presque brutal, Cyrille grogna :

— J'ai besoin de personne !

— Je sais. Pas plus de moi que du bon Dieu !

Le prêtre avait crié plus fort que Cyrille. D'un geste rageur, il enfouit dans sa poche un brûle-gueule et une vessie à tabac qu'il venait juste d'en tirer. Se plantant devant son interlocuteur qui le dominait d'une bonne tête, il le prit par le revers de sa grosse veste et le secoua en disant :

— Vois-tu, tête de bois. Je suis ici depuis les tout débuts. Des grandes gueules et des malins, j'en ai vu pas mal qui sont repartis la queue basse. J'en ai même enterré quelques-uns.

Il s'interrompit soudain, lâcha la veste de Cyrille et s'écarta d'un pas comme pour se donner le recul nécessaire à la réflexion. Puis d'une voix encore bourrue, il reprit ·

— Voyons, Labrèche, je ne t'ai pas fait de mal. Pour quelle raison me refuserais-tu le plaisir de m'amuser à

144

charpenter un peu ? Plus vite ton campe sera monté, plus vite les tiens pourront venir te rejoindre. Ne me dis pas que tu n'as pas envie de les revoir, je ne te croirais pas.

Il avait jeté quelques branches sur le feu puis s'était assis sur le tronc que Cyrille avait roulé jusque-là. Tout en tisonnant les braises avec une trique, le prêtre continuait de parler.

— En tout cas, j'ai vu ta femme ce matin. Je peux te dire que le temps lui dure.

Se relevant soudain, ce petit homme qui ne tenait jamais en place posa l'extrémité de son bâton enflammé sur le tabac dont il venait de bourrer sa pipe. Il tira fort en creusant les joues, souffla quelques bouffées appliquées et lança :

— Alors, qu'est-ce qu'on mange ?

L'arrivée du prêtre et son discours si surprenant avaient presque assommé Cyrille qui se mit à fouiller dans sa caisse. Il en retira une casserole vide et une boîte de bœuf.

Il plongea la boîte quelques instants dans l'eau chaude du coquemar, puis il l'ouvrit et fit tomber dans sa casserole le contenu rougeâtre et luisant, dur comme pierre. Il posa la casserole sur des braises qu'il venait de tirer du feu. Accroupi devant sa sacoche, le prêtre sortit deux boîtes de sardines, trois paquets de biscuits et deux tablettes de chocolat.

— Voilà de quoi faire la fête, fit-il en se relevant.

Il regarda un moment autour de lui, puis, prenant la pioche, il en donna trois coups tout près du foyer dont la chaleur avait déjà rayonné. Il prit une grosse poignée de glèbe et la pétrit lentement. L'écrasant entre ses doigts, il s'approcha de la flamme pour l'examiner.

— Tu sais, fit-il, je suis d'accord avec Faivre. Je crois que tu es tombé sur un fameux coin. Il y a ici un mélange de tourbe, de glaise et d'humus forestier qui devrait être très riche. Et pas trop lourd, je pense. Quand tu feras un jardin, abrité comme tu es, tu seras sûrement le premier à récolter. Je viendrai à la maraude.

Son visage souriant devint plus grave. S'agenouillant lentement, il leva sa main contenant la terre pétrie comme pour une offrande. D'une voix assez forte, il dit :

— Seigneur, bénissez cette terre que votre fils Cyrille va cultiver. Faites que sa peine ne soit jamais vaine et que le grain qu'il sèmera soit préservé de l'ivraie.

Le prêtre se signa. Cyrille l'imita puis, un peu gêné, il murmura :

— Merci, mon père.

Comme s'il ne l'eût pas entendu, le prêtre s'assit en disant que la marche lui avait aiguisé l'appétit. La nuit s'avançait. Seule une lueur vaguement ocre se devinait encore derrière les bouleaux. Les premières étoiles naissaient. Le vent marquait sa trêve du crépuscule. Ayant remué la viande d'où montait une odeur de tomate et d'épices, Cyrille vint s'asseoir à côté du prêtre qui, sa pipe bourrée, lui tendit sa vessie à tabac.

— Tu devrais t'acheter une pipe. C'est moins mauvais que ton papier. Et puis, quand t'as l'onglée, c'est rudement plus pratique.

21

C<small>E</small> petit curé vif comme un écureuil et bavard comme une pie savait fort bien se servir de ses mains. Depuis plus de vingt ans qu'il se trouvait à Saint-Georges, il avait aidé à bien des constructions. Il le rappelait avec fierté. Mais Cyrille s'était tellement enfoncé profond dans la tête l'idée de bâtir seul sa demeure, que sa présence le contrariait un peu. Le matin, tandis qu'ils buvaient leur thé, le curé lança :

— Tu voudrais me voir aux cinq cents diables, n'est-ce pas ? Si c'était Garneau ou l'Ukrainien, tu les ferais courir à coups de manche de pioche, Mais ton curé, tu n'oses pas. Tu te dis que ça te mettrait le bon Dieu à dos. Ne fais pas la tête. Je suis ton homme. Tu n'as qu'à ordonner.

Cyrille lui proposa d'encocher à la scie tandis qu'il finirait d'entailler à la hache. Dans le froid vif et toujours venteux, ils allèrent bon train un moment. Les bois préparés, ils les prenaient chacun d'un bout et les présentaient. Puis ayant regardé où ils portaient, ils les enlevaient pour les retoucher à la hache de manière à laisser le moins de jour possible.

Très vite, et sans avoir l'air de rien, le père Levé prit la direction des opérations.

Toujours renfrogné, Cyrille ne soufflait mot. Au contraire, le prêtre ne cessait de parler.

— À présent, je couche les traverses comme ça ? Ah non, vaut mieux commencer par là. Excuse-moi, j'avais mal compris. Tu as raison. C'est beaucoup plus rationnel. N'importe quel charpentier me l'aurait dit. Que veux-tu, je suis curé, moi. Je ne suis pas charpentier. Et puis, tu causes trop. Tu me fais tromper avec tes ordres et tes contrordres.

N'y tenant plus, Cyrille finit par lancer :

— Quand vous aurez fini de vous payer ma tête, mon père !

Le prêtre se redressa, étirant un peu ses reins endoloris.

— Et toi, tête de bûche, quand tu auras fini de me faire la gueule !

Ils éclatèrent de rire. Un beau rire à deux tons que le vent prit plaisir à disperser dans la forêt. Le travail se poursuivit dans la plus parfaite harmonie.

— C'est tout de même toi qui l'auras bâti, ton premier campe, disait le prêtre. Rien ne se fait sur cette terre sans l'aide de Dieu. Il était occupé ailleurs, il m'a dit : tiens, Jules, puisque tu n'as pas grand-chose à faire, va donc voir du côté du lot à Labrèche. Et surtout, ne le soûle pas de paroles, c'est un foutu sauvage !

Ils riaient de bon cœur.

— Je sais pas si le bon Dieu est aussi adroit que vous de ses mains, mon père.

— Malheureux ! Tu en doutes ? Tu as donc oublié les Écritures. Pense à tout ce qu'il a fabriqué en une semaine, et tu verras que nous ne sommes que de pauvres bricoleurs.

Lorsqu'un avion survolait la forêt, le prêtre se fâchait.

— Les mouches à moteur, ça fait peur à tous les oiseaux. Je sais bien que ça apporte le courrier, mais j'aimais mieux le temps où il fallait l'attendre huit jours de plus.

Lorsque le train passa, l'abbé Levé tira sa grosse montre à couvercle, l'ouvrit et observa :

— Cinq heures de retard. Il a dû neiger fort dans l'Ouest. Hâtons-nous, mon fils, ça va venir ici.

Le soir, au coin du feu, tandis qu'ils mangeaient leurs saucisses aux fèves, le prêtre parla encore du pays et de ceux qui avaient ouvert la voie et bâti les premiers ponts. Ensuite, il se mit à questionner Cyrille sur son passé. Comme l'ancien charretier parlait surtout de son travail et de ses chevaux, le prêtre finit par dire :

— Et ta petite femme, j'ai vu qu'elle était couturière.

À contrecœur, Cyrille expliqua qu'Élodie était fille d'un tailleur assez riche qui n'avait pas approuvé leur union.

Le curé écoutait avec intérêt, puis quand Cyrille se taisait, d'une petite question qui n'avait pas l'air d'en être une, il le poussait un peu plus loin.

— Couturière, disait Cyrille, pauvre d'elle, c'est sûr qu'elle a appris le métier. Mais tout ce qu'elle a pu trouver, c'était l'usine à capotes militaires.

— Tu sais, une femme qui n'a pas été élevée à la dure, elle aura du mal, ici, dans cette solitude.

— Pourvu qu'on soit ensemble, fit Cyrille.

Le prêtre le regarda avec un sourire et un hochement de tête, très bas, il ajouta :

— Ça risque d'être dur.

Il marqua un temps. Sa pipe étant éteinte, il la vida en tapant le fourneau contre le talon de sa botte, puis il la fourra dans sa poche et en sortit une autre, à peu près de la même taille, mais à tuyau recourbé. L'ayant bourrée d'un index nerveux, il l'alluma en y posant un brandon, puis, soufflant sa fumée dans le vent, il fixa Cyrille d'un œil mi-moqueur mi-inquiet.

149

— Qu'une femme pareille puisse aimer un hérisson, ça sera toujours pour moi un mystère.

— Moi aussi, je l'aime.

— Je n'en doute pas un instant. Mais ce n'est pas toi qui risques de t'égratigner sur les piquants ! Ce n'est pas toi qui as quitté une maison douillette et une famille aisée pour épouser le risque. Ce qu'elle a quitté pour toi, tu ne le connais pas bien. Tu n'as pas dû réfléchir souvent à ce que ça représente.

— Que si, mon père. Que si !

Le prêtre s'accorda le temps de rallumer sa pipe, puis sans regarder Cyrille, un peu comme s'il eût parlé aux braises du foyer, il dit lentement :

— Le plus étonnant, c'est que ses parents aient donné leur accord.

Une éternité de vent et de pétillement du feu occupa la nuit. Cyrille soupira plusieurs fois, lança des coups d'œil rapides au prêtre qui, s'obstinant à ne pas le regarder, finit par murmurer :

— Enfin, enfin...

Sur un ton un peu cassant, Cyrille qui semblait de nouveau sur la défensive lança :

— On était obligés de se marier.

Feignant de n'avoir pas entendu, le petit curé dit :

— Si tu sais y mettre du tien, vous pouvez être heureux ici. Tu as un caractère de cochon, mais tu as assez de courage pour que le bon Dieu te vienne en aide.

Derrière eux, le vent faisait le fou au flanc de la colline qui ronflait comme un gros animal tapi dans l'ombre. La face rôtie par le brasier et le dos glacé, Cyrille restait là, à écouter le curé, et il ne se sentait pas si seul.

Autour, c'était la forêt. Au-dessus, immensément loin, le clignotement continu de millions d'étoiles.

Soudain, comme s'il eût d'un trait renoué avec son

enfance, Cyrille demanda en levant la main vers le ciel :

— Est-ce que ce sont vraiment les âmes des morts ?

Le prêtre hocha la tête.

— Pourquoi pas... Pourquoi pas...

Il semblait plongé dans une profonde réflexion. Après un long moment, il dit :

— Tu sais, tout seuls ici, vous risquez de connaître des moments très durs. Je ne veux pas que tu t'entêtes bêtement. Tu n'es plus un gamin. Si tu vois que tu as besoin, n'oublie jamais qu'une paroisse est une communauté de chrétiens tous frères et faits pour s'entraider. Tu ne serais pas assez stupide pour mettre en danger la vie des tiens par orgueil ! Allons, ce soir, nous allons surtout prier pour Élodie et pour vos petits. Pour que cette demeure soit celle du bonheur.

Cyrille s'agenouilla à côté du prêtre. Ils se découvrirent et prièrent. L'ancien charretier répétait les paroles du prêtre en pensant très fort à cette maison où il voyait ceux qu'il aimait. Le regret lui vint de n'avoir pas découvert plus tôt le petit curé. S'il s'était senti soutenu par cet homme, il eût certainement cherché un lot plus près de Saint-Georges. L'envie lui vint de le dire, l'envie seulement. Ni la force ni les mots.

En trois rudes journées, ils achevèrent le gros œuvre. Le soir du troisième jour, le prêtre dit :

— Pour la couverture, tu peux faire sans moi. Mais ne cavale pas comme un fou pour te casser la figure. Et n'oublie pas de bien tendre ton papier goudronné. Moi, il faut que je rentre.

Il y eut un silence. Le vent soufflait moins fort mais le froid était toujours là. On le sentait qui s'approchait le plus possible du foyer. Il était pareil à une bête multiple et sans cesse aux aguets.

Le curé partit à l'aube. Il dit en riant :

— Sitôt levé, Levé s'en va.

Cyrille était ému. Il lui serra longuement la main.

— Merci, mon père...

— Ne me remercie pas, je te l'ai dit : je suis venu m'amuser avec toi. Ne me raconte pas que tu ne t'es pas amusé aussi !

Cyrille sourit et hocha la tête.

— C'est vrai, mon père... seulement, je veux dire... merci pour ma femme...

— Je m'en vais vite lui dire que dans trois jours vous pouvez emménager. T'inquiète de rien. J'organise tout ça. Quand tu arriveras à Saint-Georges, tout sera prêt et j'aurai trouvé du monde pour t'aider.

Cette fois, Cyrille n'osa pas crier qu'il ne pouvait accepter aucune aide. Et pourtant, la seule idée que d'autres viendraient ici en même temps qu'Élodie et les enfants le mettait mal à l'aise. Il regarda s'éloigner la silhouette sombre et un peu sautillante du petit curé qui se retourna deux fois pour lui adresser un signe. Lorsqu'il ne vit plus que le sous-bois où continuait de courir le vent porteur de fumée, Cyrille se sentit soudain très seul. À la fois heureux et triste. Il se retourna vers son campe dont le toit restait à couvrir.

— J'ai tout de même eu de la chance.

Il dit cela en contemplant le ciel où peu à peu, se formait un mince voile gris.

— Sans lui, peut-être que j'aurais pas fini avant la neige... Savoir où en est Garneau ?

Il éprouvait un constant besoin de parler. Il regardait souvent en direction du sentier menant à la voie ferrée, comme s'il eût cultivé le secret espoir de voir revenir le curé.

22

UNE brutale saute de vent annonça la neige. Non plus celle qui vient poudrer les dernières rousseurs de l'été indien. La vraie. La première de l'hiver. Celle qui semble venir de partout à la fois.

Les animaux de la forêt la sentirent les premiers. Ceux qui ne s'étaient pas encore terrés se hâtèrent, d'autres poussèrent vers le sud. Des rapaces montèrent très haut, bien au-dessus du vent pour être les premiers à voir arriver les tourbillons glacés. Puis, après les animaux, les Indiens et les coureurs de bois qui consolidèrent leurs campements et amassèrent du bois. Enfin, sur les rangs et dans les paroisses, les colons arrivés depuis quelques années et qui avaient appris à lire dans le ciel, à interroger les bruits de la forêt.

À Saint-Georges, Alban Robillard qui avait eu les genoux bloqués par l'arthrose durant plus de deux années après être tombé dans un trou de glace fut obligé de reprendre ses cannes. Il dit au curé :

— Cette fois, ce sera un gros coup. Je le sens venir.

Le petit prêtre tout en nerfs sortit et flaira le vent.

— Sacré nom d'un bonhomme, lança-t-il, on se croit près du bon Dieu et on oublie de regarder le ciel.

Battant de la soutane, il partit en courant et se mit à

remuer toute la cité. Entrant comme un courant d'air dans le bâtiment des colons, il cria à Élodie Labrèche qu'on allait la déménager, qu'elle se dépêche de préparer son fourbi. Comme les autres femmes le regardaient, un peu ébahies, il lança à Charlotte Garneau :

— Toi, la grosse, au lieu de me zieuter comme ça, va donc l'aider. Et qu'elle habille ses petits chaudement. Dès que j'ai de quoi l'emmener, je viens la chercher. Si elle arrive pas avant la neige, son cinglé de mari est fichu de rappliquer.

Il grimpa en courant le chemin de la gare. Et Charlotte qui le regardait filer ne trouva qu'une chose à dire :

— Sûr qu'on lui donnerait pas ses cinquante-deux ans !

À la station, le chef dit qu'il était d'accord pour prêter un wagonnet à pompe.

— Vous avez tout le temps, y a pas de train avant deux jours. Mais faut trouver du monde, mon père, j'ai personne.

— Foutu chemin de fer ! grogna le prêtre en redescendant vers le centre.

Au Magasin Général, il bondit vers Catherine Robillard.

— Où est Steph ?

— À la réserve, mon père.

Surprise bien qu'elle eût l'habitude de le voir toujours pressé, Catherine demanda :

— Y aurait-il le feu à la cure ?

Enjambant les caisses et les paniers, sans se retourner, le prêtre cria :

— Non. Mais la neige arrive à grand train.

— C'est tout de même pas la première fois.

Tandis qu'il allait ainsi du Magasin Général à la scierie, de la scierie au hangar où était le mobilier des colons, le ciel se couvrait.

Et ce n'était pas seulement le curé de Saint-Georges qui

154

se mettait à courir. Sur le rang trois comme sur tous ceux où des colons avaient commencé des constructions, c'était la fièvre. Si deux ou trois bâtisses étaient en chantier, les hommes unissaient leurs forces pour essayer d'en couvrir une. Ceux qui possédaient un cheval se dépêchaient de lui monter un abri en fascines adossé à un talus qui le protégerait du nord.

Au cœur de la forêt, les charretiers sortant le bois des coupes poussaient les attelages et, parce qu'ils sentaient eux aussi arriver la tempête, les chevaux donnaient fort de la croupe et du poitrail pour enlever les charges et filer au plus vite vers les écuries bien closes des moulins à scie.

Lorsqu'il remonta vers la gare, le curé de Saint-Georges n'était plus seul. Quatre hommes l'accompagnaient Parmi eux le menuisier qui portait une petite fenêtre calée dans son huisserie. Derrière eux, venaient Élodie et Charlotte chargées de sacs, puis les trois petits.

— Allez vous mettre au chaud à la gare, leur cria le prêtre. On vous appellera quand ce sera à vous !

23

CYRILLE Labrèche était allé comme un fou deux journées durant. Pour mieux tendre son papier goudronné et le fixer aux traverses avec des clous passés dans des morceaux d'écorce, il avait quitté ses mitaines. Tout était glacé. Les outils, le bois, le papier, les pointes et l'air qu'il respirait. Le vent l'enveloppait, se coulait dans ses vêtements. Cette besogne exigeait plus d'application que d'énergie. Elle laissait l'hiver vous pénétrer le corps jusqu'à la moelle des os. Chaque fois qu'il descendait de la toiture, il courait vers le feu, il approchait en les frottant l'une contre l'autre ses mains engourdies. Il essayait de les pétrir, mais les articulations refusaient parfois de plier. Il éprouvait l'étrange sensation d'avoir des bras que rien ne terminait. C'était, à certains moments, extrêmement douloureux, et, à d'autres, totalement endormi. Il balançait ses bras pour battre ses flancs. Le tissu roidi de sa veste sonnait sourd comme de la tôle rouillée. Cyrille piétinait de rage. Des envies de pleurer alternaient en lui avec des flambées un peu folles. Une espèce de frénésie de travail.

— Faut faire vite. Vite vite.

Il repartait en courant et reprenait son marteau glacé.

— Bonsoir de bonsoir, ce qu'on va être bien sous cette toiture-là !

De temps en temps, avant de remonter, il entrait dans la baraque pour le plaisir de voir l'ombre avancer, d'évaluer depuis le bas ce qui restait à couvrir. Pour le bonheur aussi de ne plus sentir le vent et de l'entendre enrager contre le pignon. Certes, il restait à colmater bien des fissures, mais Steph lui avait promis des cartons d'emballage. Alors, Cyrille mettait les bouchées doubles. Il avait hâte d'aller chercher les siens. Les cartons, il les ramènerait avec son petit déménagement. Le prêtre avait promis de tout préparer. Cyrille se tapait sur les doigts. Il lançait des bordées de jurons. Il s'était retenu en présence du curé, mais il se rattrapait depuis son départ. Il braillait à plein gosier à la face du vent.

— Bon Dieu de bon Dieu, moi aussi je peux gueuler !

Il s'excitait. Il lançait au ciel qui se chargeait des regards où luisait un peu de folie.

Le matin du troisième jour, il lui restait à fabriquer et à monter la porte.

— Pourvu que ce maudit curé-là n'oublie pas de faire préparer ma fenêtre ! J'en ai pour dix minutes à la mettre en place, et la maison sera vraiment bouclée.

Cyrille commença de scier ses bois pour sa porte. Il continuait d'interroger le ciel et sentait l'angoisse monter en lui.

— Je peux tout de même pas partir les chercher sans avoir posé cette foutue porte. Et si la neige me gagne de vitesse, qu'est-ce que je fais ? Et si après on peut plus déménager ?

Il s'affolait et luttait pour rester calme. Il savait que s'il se laissait dominer par ses nerfs, il ne ferait plus rien de bon.

C'est pourtant ce qui arriva lorsque le vent se mit à lui piquer le visage avec de minuscules flocons acérés comme des cristaux de glace. Abandonnant sa porte, il se précipita, empoigna sa caisse à provisions à pleins bras, la souleva au risque de se détraquer le dos et, d'un seul élan, l'apporta dans la maison. Puis, lui arrachant son couvercle, il le cloua sommairement pour obstruer le trou béant ménagé pour la fenêtre.

De plus en plus serrée, la neige passait pareille à un brouillard fou filant d'un bord à l'autre de la terre.

— Maudit ! Trois heures de plus, j'étais bon !

Cyrille sentait des sanglots de rage lui monter à la gorge. Il cognait comme un forcené sur les clous qui se tordaient. Il en était à placer les gonds lorsqu'il sursauta.

— Ho ! Le sauvage !

Il se retourna. Une forme sombre sortait du bois. Lâchant ses outils, il s'avança. La forme était suivie de deux autres. Luttant contre la bourrasque, trois hommes lourdement chargés approchaient. Le curé marchait en tête ; sur son épaule un énorme paquet de cartons, et, sous un bras, un tuyau de fourneau. Puis venait Gendreau, le gros menuisier à face ronde qui portait des lunettes où la neige collait. Il tenait la fenêtre, le grand Steph suivait. Sur sa tête où il avait plié un sac vide : le fourneau à deux ponts qu'il tenait par ses pattes grêles.

— Vous êtes fous ! cria Cyrille.

Haletant, Steph lança :

— Laisse-nous poser ça avant de nous engueuler !

— Donne, je vais te reprendre.

— Non, c'est bien équilibré.

Cyrille prit presque de force le colis du curé et courut devant pour aider Steph à se décharger. Quand le fourneau fut par terre, Steph soupira :

— Dire que mon oncle Raoul, quand on est montés ici en canot, il a fait tous les portages avec un truc pareil sur la tête.

— C'est pas le temps de raconter ta vie, fit le prêtre tout essoufflé, on n'a pas fini.

Le menuisier éponges sa face rouge et déclara :

— Va aider à décharger. Je vais te poser ta porte et ta fenêtre. Puis j'installerai le poêle.

— Y en a qui savent trouver les bonnes places, cria Steph en sortant.

— Et ma femme ? demanda Cyrille d'une voix qui vibrait curieusement.

— Sois tranquille, on n'a pas laissé ta nichée sur la voie, dit le curé. Faut faire un autre voyage. Mais la neige nous a pris en route.

Ils regagnèrent la voie et déchargèrent sur le chemin de ballast trois petits meubles, les lits, les matelas roulés et ficelés, la table, les tabourets et quelques caisses.

— Vous auriez dû amener Élodie et les petits au premier voyage.

— Y va nous engueuler, dit Steph.

— Et si le toit n'avait pas été fini ? dit le prêtre. Où tu les aurais mis ?

— Sous la tente.

— C'est vrai. J'y ai pas pensé, mais le char était chargé. Et je te répète que la neige nous a gagnés de vitesse.

— T'inquiète pas, lança Steph en remontant sur le wagonnet à pompe, j'aurai vite fait !

Cyrille bondit au moment où le grand diable actionnait le levier.

— C'est moi qui charrie tout ça ? cria le prêtre en montrant les meubles.

— Laissez ça. Allez vous mettre à l'abri !

La voix de Steph se perdit dans le vent. Déjà le char avait pris de la vitesse. Face à face, les deux hommes pompaient de toute leur vigueur. Les dents serrées, aveuglés par la neige de plus en plus dense.

159

Lorsqu'ils arrivèrent à la station, la nuit était presque là, tirée de l'horizon par la tempête. Le chef de gare sortit avec deux lanternes.

— C'est pas prudent de vous embarquer avec des enfants, dit-il. Vaut mieux attendre à demain.

— Si tu veux pas qu'on parte, pourquoi t'as préparé des lanternes ? lança Steph.

— Je sais que vous avez des têtes dures, fit l'homme en riant.

Élodie venait de sortir du bureau, ses trois petits accrochés après elle. Elle se jeta dans les bras de Cyrille qui murmura :

— Vite... Vite. Faut pas traîner.

Aidés par le chef de gare, ils chargèrent en hâte les trois valises et les ballots de linge. Puis ils firent asseoir Élodie et les enfants au centre et les couvrirent d'une bâche.

— Tenez-la bien. La laissez pas s'envoler.

Les enfants avaient de petits rires inquiets. Le chef accrocha une lanterne à l'avant et une à l'arrière, puis leur ayant crié « bonne chance », il poussa pour aider au démarrage.

Ce n'était pas encore la nuit, et pourtant, ils roulaient en aveugles. Cyrille qui tournait le dos à la marche regardait fuir le défilé des flocons et les buissons les plus proches déjà tout gris. En face de lui, Steph plissait les yeux. La neige l'habillait déjà totalement, tombant parfois par paquets lorsque son mouvement variait un peu. Comme il s'inclinait vers la droite pour mieux voir, Cyrille demanda :

— T'es certain qu'on va retrouver ?

— J'espère qu'ils auront laissé quelque chose sur le chemin. Sans ça, on risque de se rendre sur la côte Ouest.

— Rigole pas, les petits vont geler.

Une mitaine sortit de dessous la bâche en s'agitant. La voix de Paul cria :

— On est bien, p'pa. Fait pas froid.

— Ça va, dit Élodie, mais je sens le petit qui tremble.

À trois reprises ils durent s'arrêter pour pelleter la neige qui s'entassait devant les roues. En forçant pour passer, ils couraient le risque de dérailler.

— Pour retourner, dit Cyrille, ça sera pas rien.

— T'inquiète pas, on aura le bon Dieu avec nous.

Ce grand Steph plaisait beaucoup à Cyrille. Il semblait tout prendre joyeusement. C'était un costaud. Ça se sentait à chaque coup de balancier. Et Cyrille donnait toute sa force pour ne pas être en reste. Enfin, Steph cria :

— On y est ! Laisse aller.

Ils lâchèrent les poignées et le wagonnet ralentit pour s'arrêter à hauteur d'une lanterne que brandissait le père Levé qui dit en riant :

— J'ai cru que vous vous étiez trompés de chemin.

— Vous devez être gelé, mon père.

— Que non, on s'est réchauffés, avec Gendreau. Il a bien dû perdre trois livres.

Tout ce qu'ils avaient déchargé avait disparu. Seule restait sur le sentier la petite traîne vide.

— Trois voyages avec ça, dit le père, je viens juste de revenir. Mais soyez tranquilles. On avait laissé la lumière ici.

Ils entassèrent tous les bagages sur la traîne, puis Steph s'y attela et fila devant avec une des lanternes du char à pompe. Cyrille prit Clémence sur ses épaules, le curé se chargea de Paul et Élodie du petit Jules. Dans le bois, l'obscurité était presque totale. Cyrille allait devant, portant la lanterne, et les autres suivaient cette lueur tremblotante. Élodie avait peine à marcher. Elle gémissait parfois.

— Seigneur, nous sommes fous !

Les hommes allaient sans mot dire, geignant quand ils butaient contre une racine ou glissaient sur un dévers.

Lorsqu'ils débouchèrent sur la partie nue, le vent les empoigna d'un coup comme s'il eût voulu les dépouiller de leurs vêtements pour mieux les envelopper de cette toile râpeuse qu'il dévidait sans trêve et battait à grands coups de fouet. Le hurlement de la forêt était plus effrayant encore ici que sous les arbres et les deux garçons se mirent à pleurer.

— Où on est, m'man, où on est ?

— On arrive ! cria Cyrille.

Des remous charriaient une odeur de feu. Le foyer allumé près de la tente flambait encore. Une lanterne s'agita et c'est vers elle qu'ils se dirigèrent.

Le menuisier la tenait, aidant Steph à décharger la traîne. Ce fut vite fait, et ils se trouvèrent bientôt tous, la tête encore sonnante, à l'intérieur de la maison. La porte et la fenêtre joignaient bien. Dans le fourneau dont le cornet montait droit vers le toit où luisait une plaque de tôle toute neuve, un feu d'enfer ronflait.

Le regard de Cyrille s'affolait, il disait merci à tout le monde tout en embrassant sa femme et ses petits.

— À ta place, dit le menuisier, je commencerais tout de suite à clouer du carton côté nord.

Élodie regardait partout. Une grande frayeur se lisait sur son visage. Elle finit par demander :

— C'est solide ?

Ils se mirent tous à rire. Le curé dit :

— Si le vent avait dû l'emporter, elle serait déjà sur la voie.

— Quand y aura six pieds de neige dessus, fit le menuisier, tu sentiras plus un brin d'air.

— Vous serez obligée d'ouvrir la fenêtre, assura Steph.

Comme Élodie paraissait vraiment effrayée, immobile, figée avec son petit Jules sur le bras et les deux autres accrochés à son manteau, le prêtre lui prit le poignet en disant :

— Croyez-moi, ma fille, dans une heure il fera plus chaud ici que dans le centre d'accueil.

Le menuisier s'approcha de la porte et dit .

— Allez, venez. On n'est pas d'ici, nous autres.

— Si vous nous aviez vus en 1910, quand on est arrivés, dit encore Robillard, c'était autre chose !

Comme ils enfonçaient leurs tuques de laine et enfilaient leurs mitaines pour sortir, Cyrille bredouilla encore des remerciements et proposa :

— Je vais aller avec vous.

Steph partit d'un grand rire et lança :

— Dis pas de conneries. Si on te prenait au mot, tu ferais une sale gueule !

Et ils sortirent dans la tourmente dont la fureur redoublait. La lueur de leur lanterne dansa un instant, très vite absorbée par la neige en folie.

24

L A porte refermée, ils se regardèrent un instant intensément, puis Cyrille prit sa femme dans ses bras et la serra contre lui à faire mal. Les trois enfants le tiraient par sa veste. Il se baissa. D'un grand geste de moissonneur liant des gerbes, il essaya de les ramasser tous les trois. Élodie se joignit à lui et ils se redressèrent avec ce fagot de vie suspendu à leur cou, à leurs épaules. Ils s'étreignirent tous les cinq, d'un seul bloc, d'un unique paquet de têtes cognées l'une contre l'autre, de bras entremêlés. Rires et sanglots se confondaient. Leur bruit et le ronflement du fourneau s'unissaient pour repousser loin les hurlements de la nuit.

— Tout de même, dit Élodie, y a des bonnes gens. On a de la chance.

— On est chez nous, dit Cyrille dont la vision se brouillait.

— C'est tout petit, dit Clémence.

— Pis c'est noir, dit Paul.

— Demain, on aura une autre lumière, promit Cyrille. C'est que le début. Quand on aura vendu des récoltes, on bâtira une vraie maison.

— J'aime mieux que ce soit pas trop grand, dit Élodie, ce sera plus chaud.

Elle regarda encore autour d'elle puis en l'air, avant d'interroger Cyrille d'un œil inquiet :

— Ça tient bon ?

— T'inquiète pas. Allez, faut faire de l'ordre, moi, je vais clouer du carton de ce côté.

Tandis qu'il se mettait au travail dans la lueur mouvante de la lanterne que sa femme déplaçait pour chercher dans ses paquets, les petits demeuraient près du feu, encore tout étourdis de cette course dans la tempête et surpris de se trouver en pareil lieu. Élodie ouvrit un bidon de fer dont elle vida le contenu dans une casserole qu'elle posa sur le fourneau.

— C'est du ragoût d'orignal, dit-elle. C'est Charlotte qui l'a préparé. Sais-tu qu'elle voulait venir pour aider à pomper sur le char ?

— Ça m'étonne pas.

— Stéphane lui a dit qu'elle était trop lourde.

Dès qu'ils furent réchauffés, les enfants se mirent en mouvement. Excités par ce désordre de meubles et de paquets, ils se mirent à s'y cacher, à se chercher, à renverser des choses en criant fort. Cyrille fut obligé d'élever la voix.

— C'est drôle, observa Élodie, Charlotte en fait ce qu'elle veut.

— Allons, Clémence, lança Cyrille, occupe-toi de tes frères.

— Comment est-ce qu'on va coucher ? demanda Élodie.

— Je peux pas tout faire en même temps. Déjà que j'y vois rien.

Il avait haussé le ton et le regretta aussitôt. Jamais Élodie n'aurait d'autorité sur les enfants. Il le savait. Ils venaient à peine de se retrouver, ce n'était pas l'heure des querelles ridicules. Laissant son marteau et ses clous, il se frotta un instant la barbe. La neige avait déjà dû obstruer les fentes qu'il n'avait pas encore pu colmater, car il entrait un peu moins d'air. Quelques flocons ténus tournoyaient, que la chaleur du poêle faisait fondre aussitôt qu'ils arrivaient au centre de la pièce.

— Bon, on va tâcher de s'arranger comme on peut. Demain, ce sera mieux.

Ils étendirent une bâche sur le plancher, posèrent un lit de cartons dessus, puis les deux matelas. Ils empilèrent des caisses et placèrent les meubles de manière à fermer à peu près sur trois côtés. Ensuite, posant des branches en travers, Cyrille y déplia d'autres cartons d'épicerie avant d'y étendre une couverture. Les enfants trépignaient. Déjà ils se couchaient dans cette espèce de petite cabane montée à l'intérieur de la grande. Il fallut les obliger à sortir pour qu'ils mangent un peu, mais très vite ils retournèrent s'enfouir tout vêtus sous les peaux de loup.

— On est des trappeurs, disait l'aîné. Demain on va piéger.

Élodie et Cyrille s'installèrent sur un coin de la table pour manger cette viande, ces pommes de terre baignant dans une sauce dont l'odeur emplissait déjà la pièce. Élodie avait gardé son manteau, son dos était à trois pouces du fourneau et pourtant, elle frissonnait.

— C'est rien, j'ai eu froid sur le char.

— Je te réchaufferai.

Ils s'étreignaient déjà du regard.

— Tu verras, promit Cyrille, on sera mieux que sur un rang.

— Je sais pas, mais je préfère être ici avec toi que là-bas avec toutes ces femmes.

— Elles étaient pas méchantes.

— Non, mais trop de monde, ça m'a toujours fait peur.
Elle avait son air de petit animal effarouché qui attendrissait Cyrille.

Leur repas terminé par une tasse de thé bien chaud, Cyrille chargea le poêle jusqu'à la gueule, ferma la porte du foyer et diminua le tirage. Ayant éteint la lanterne, il tâtonna pour rejoindre Élodie qui souffla :

— Ils dorment déjà.

Une toute petite lueur filtrée par le mica noirci venait du foyer pour danser sur le flanc d'une caisse. Peu à peu, les yeux s'habituaient à l'obscurité et des formes se devinaient. Élodie s'était recroquevillée sous une couverture sans même se déchausser.

– Tu es folle, faut te déshabiller. Tu vas geler.

— Non, laisse-moi dans ma chaleur.

Il y eut une courte lutte, puis, dès que Cyrille eut pris sa bouche, elle se détendit et se laissa aller sur le dos. Il lui retira ses chaussures trempées et ses gros bas de laine puis il frictionna longuement ses pieds glacés dans ses larges mains rêches.

— Tu me râpes. Tu vas me faire crier.

— Allez, enlève-moi tout ça.

Il se dévêtit entièrement et l'obligea à en faire autant. Il alla étendre leurs habits pas trop loin du feu. Lorsqu'il revint, elle était entre deux peaux de loup et son corps nu commençait déjà à dégager une bonne tiédeur odorante.

— C'est doux, observa-t-elle, mais ça sent fort.

— Ça sent le loup. Puis ça sent aussi le trappeur

— Et la vieille pipe.

Elle se blottissait contre lui.

— Tes mains sont encore plus dures qu'avant

— Je te fais mal ?

— Non. C'est bon

167

— T'es mieux là que sur la voie ?

Elle s'écarta légèrement pour dire, d'un ton inquiet :

— Pourvu qu'ils soient bien rentrés.

— T'inquiète pas pour eux, c'est des malins. Puis ce Steph, c'est un solide, tu sais.

Ils s'embrassèrent longuement puis elle dit :

— On est chez nous.

— Ma pauvre chérie, je te jure que t'auras une vraie maison. Très belle. Tu verras.

— Je suis bien. Je suis avec toi.

Peut-être à cause de ce qu'avait dit le prêtre l'autre jour, Cyrille fut un instant traversé par la vision de l'appartement où Élodie avait passé son enfance, au-dessus de la boutique du tailleur. Il lui donnerait bien mieux que ça. Il sentait une grande force en lui pour retourner cette terre et lui arracher des trésors.

Ils s'aimèrent avec beaucoup de douceur et de violence alternées. Puis ils demeurèrent enlacés, leurs deux têtes appuyées contre un ballot de linge, à regarder vivre la petite lueur rouge sur le bois de la caisse.

— Quand le chemin sera ouvert et qu'on aura un cheval, on sera plus près de la ville que ceux du rang trois. Y viendra d'autres gens par ici.

Avec une petite pointe de crainte dans la voix, Élodie murmura :

— Faudra qu'on fasse amitié avec eux.

— Bien sûr.

La maison vibrait sous les coups de boutoir. Pas tout à fait rassurée, Élodie souffla :

— On a une bonne petite maison.

— C'est une bonne chose, cette tempête, ça montre que tout est solide. Quand on aura bien calfeutré, on sera vraiment au chaud.

À petits mots, à petites phrases échangées, ils construisaient à l'intérieur de leur demeure quelque chose qui ressemblait à un bon feu tranquille. Ils allaient presque timidement, pour lui conserver une taille très raisonnable. Ils redoutaient un trop rapide embrasement qui n'eût laissé que cendres et braises froides. Ils s'aimèrent de nouveau, se redécouvrant l'un l'autre avec une infinie tendresse.

Puis ils restèrent longtemps entrelacés, retenant leur respiration, écoutant leurs deux cœurs qui battaient fort. Un beau bruit sourd et régulier, tout proche, enveloppé par le vacarme plus lointain du ciel descendu sur la terre pour se mêler à la forêt.

Et ces deux bruits continuèrent de les habiter dans leur sommeil, jusqu'au fond de leur fatigue de travail et d'amour.

25

LES millions de femmes et d'hommes qui enduraient les rigueurs de la crise voyaient arriver avec terreur les rigueurs de l'hiver. Nul n'était surpris que le froid fût plus dur et plus précoce que d'habitude. Tout semblait se conjuguer pour la perte du monde. Cependant, ceux qui fuyaient semblaient redouter davantage la faim, la misère et la honte que la mauvaise saison. Les chômeurs ne pouvaient plus s'accrocher aux longs trains aveugles qui passaient en hurlant dans la tempête. D'ailleurs, personne ne croyait plus qu'il fût plus aisé de vivre sous d'autres cieux. On savait à présent que la crise était partout, qu'elle avait fini par toucher toutes les contrées, tous les secteurs de l'économie. La seule lueur d'espoir demeurait en la terre qui donne de quoi se chauffer et manger, mais, pour l'heure, la terre elle-même disparaissait sous les rafales blanches, et l'espoir avec elle.

Dans les villes, c'était toujours la queue devant les organismes de secours et les boutiques désaffectées où l'on distribuait une soupe de plus en plus maigre. Des gens tombaient sur les trottoirs; on les aidait comme on pouvait à mourir moins vite. Les chantiers de construction abandonnés se vidaient rapidement de tout ce qu'on pouvait brûler. Au début, des gens qui jusque-là n'auraient jamais songé à voler un sou usaient de mille ruses pour dérober un bout de planche. Plus personne ne se cachait, plus personne ne gardait, bientôt il n'y eut plus rien à voler.

Bien des logements étaient vides. Dans les premiers temps, on avait expulsé les sans-emploi incapables de payer leur loyer. A présent, d'autres en prenaient possession. Ceux qui en avaient été chassés allaient s'installer ailleurs, dans des dortoirs, des cahutes de fortune et des carcasses de voitures. On chassait les squatters d'un quartier, ils partaient vers un autre. On les chassait à nouveau, ils partaient se loger dans des caves, des remises, des ateliers morts. Certains finirent par camper sur la glace des lacs où ils creusaient un trou pour pêcher avec une ligne de fortune. Une famille entière faisait un festin d'un poisson large comme les deux mains.

La presse blasée ne parlait même plus des morts de faim ou de froid, des suicidés.

Mais la misère n'arrête pas les voleurs. Des escrocs trouvaient le moyen de soutirer les derniers sous de quelques naïfs encore prêts à croire qu'une chance inespérée leur était offerte. Des compagnies au nom impressionnant vendaient des actions de mines imaginaires, de puits de pétrole figurant sur des cartes truquées. De beaux parleurs sans scrupules parvenaient à endormir les gens en leur garantissant la fin de leurs ennuis. Des chômeurs, souvent bons ouvriers, étaient embauchés. Ils travaillaient. Ils respiraient. Ils voyaient enfin poindre la lumière à l'extrémité du tunnel puis découvraient, après quelques semaines épuisantes, que le contracteur avait disparu en emportant la caisse. Des sociétés de commerce naissaient pour disparaître le lendemain, avant même que l'on pût savoir ce qu'elles voulaient vendre. Dans cet univers qui manquait des plus élémentaires ressources, dans ce monde sans pain ni feu, tout s'emballait, tout semblait pris d'une terrible envie de dévorer la vie de plus en plus vite.

Les dirigeants aussi voyaient arriver l'hiver avec une certaine appréhension. À court de moyens, ceux qui avaient la charge du pays se mettaient en colère. Et c'est aux plus déshérités qu'ils s'en prenaient. Dans des discours retentissants, des ministres proclamaient que le pire ennemi du peuple est la paresse. Le peuple coûtait trop cher à l'État. Les chômeurs se complaisaient dans leur oisiveté. Ils avaient davantage besoin d'être secoués que secourus. Alors, on envisageait de diminuer les indemnités, de les supprimer pour les célibataires et les couples sans enfants. Tous les hommes valides qui conservaient deux onces de fierté et de courage pouvaient aller s'embaucher dans les bois.

Mais les entreprises de forestage débauchaient déjà, les moulins à scie ne tournaient plus qu'au ralenti et certaines usines de pâte à papier parlaient de fermer leurs portes. La forêt refoulait vers la ville ce que la ville avait rejeté vers elle.

Dans le Royaume du Nord, sur les rangs où les défricheurs étaient à peu près installés, ce n'était pas non plus l'abondance.

— Le bois, c'est bien beau, mais y a que les castors pour s'en nourrir !

À court de vivres, les colons mangeaient les céréales de semence que le bureau des terres leur avait allouées. Les hommes délaissaient leurs lots pour s'en aller sur les chantiers de routes ou dans les coupes. On les embauchait plus volontiers que les chômeurs arrivant des cités du Sud, on les espérait plus endurcis, plus aptes aux travaux des bois, plus résistants aux grands froids, moins exigeants sur les conditions de logement. Pour tout dire, les patrons redoutaient un peu que les ouvriers venus directement des usines ne portent en eux un ferment de révolte.

Sur les rangs à peine ouverts, la tempête et la baisse de température provoquaient la panique. Ces hommes encore mal habitués à la forêt prenaient peur devant sa colère soudaine. Elle cessait de les protéger pour les envelopper d'un souffle qui sentait le malheur et la mort. Craignant d'être bloqués sans réserves en plein bois, certains se disaient qu'il valait mieux partir avant qu'il ne soit trop tard. Au lieu de se terrer en attendant la fin de la bourrasque, ils couraient pour rejoindre les femmes et les enfants restés dans des centres d'accueil. Beaucoup s'égaraient, tournaient en rond jusqu'à épuisement. Les curés de la colonisation devaient se gendarmer pour maintenir le calme. Car la révolte grondait. Des jalousies naissaient, des disputes éclataient au moment des distributions de vivres parce que les prêtres favorisaient les plus pieux ou les plus adroits flatteurs. Persuadés qu'ils avaient été bernés, des hommes écœurés menaçaient de regagner les villes pour s'en prendre à ceux qui les avaient poussés vers le Nord.

Il arrivait souvent que les épouses et les mères demeurées dans les centres d'accueil prennent peur en pensant aux hommes perdus dans la forêt, gelant dans des bâtisses dont les toitures n'étaient même pas posées.

Au nord de Saint-Georges-d'Harricana, sur le rang trois, les colons entassés dans une seule baraque bourraient le poêle de rondins pissant la sève. Ils ne mettaient le nez dehors que pour rentrer du bois. Ils se relayaient pour veiller le plus âgé d'entre eux, Victor Billon, qui délirait, grelottant de fièvre, le visage écarlate et ruisselant.

À l'aube du deuxième jour, le grand Koliare s'en alla

dans la tourmente pour chercher un médecin. Il refusa qu'on l'accompagne. Il était seul à posséder des bottes en bon état et ne voulait pas se trouver obligé de porter sur son dos un homme aux pieds gelés.

Ainsi, dans cette immensité, parmi tant de misère, de révolte et d'écœurement, mille petits héroïsmes qui resteraient inconnus. Médecins, infirmières, volontaires de tout poil pour sauver une vie en un monde où, depuis longtemps, la vie ne comptait plus.

Et dans les cités du Sud, on ne cessait de répéter que les gens partis vers le Royaume du Nord vivaient dans l'aisance parce que tout l'argent du ministère de la Colonisation se déversait sur leur terre déjà bénie des dieux.

26

L A tempête devint vite plus lourde, avec de longues respirations qui faisaient frémir la colline et la forêt tout entière. Dès le petit matin, ayant rechargé le feu, Cyrille s'était remis à clouer les cartons contre les murs. Comme il en avait beaucoup plus qu'il ne lui en fallait, il put appliquer double épaisseur à l'ouest, au nord et sur une partie de la face exposée à l'est.

— J'irai en chercher d'autres, dit-il, dès que la tempête sera terminée. On doublera partout.

Élodie, que la petite Clémence essayait d'aider, s'efforçait d'installer son ménage. Les deux garçons, confinés dans cet espace trop étroit, ne cessaient de se chamailler. La mère leur ordonnait mollement de rester tranquilles. Cyrille poussait d'épouvantables coups de gueule qui imposaient le calme durant trois ou quatre minutes.

La chaleur était étouffante. Les vitres embuées ruisselaient mais rien ne permettait une aération rationnelle. Dès que Cyrille ouvrait la porte, des tourbillons de flocons entraient qui trempaient le plancher inégal, la table et les lits enfin installés. Les garçons se mettaient alors à danser, la bouche et les mains ouvertes, essayant d'attraper la neige.

— Dès que ça s'arrête de tomber, hurlait Cyrille, je les

fous dehors. M'en vas les mettre à tirer du branchage. Certain que ça leur calmera les nerfs !

De sa voix douce, toujours unie, Élodie continuait de dire :

— Voyons, mes chéris, faites attention, vous risquez de casser quelque chose.

Le petit Jules, qui avait déjà le visage anguleux de son père et ses gestes saccadés, menait le bal. Il obligeait son aîné à se mettre à quatre pattes, lui sautait sur le dos et cognait en criant de toutes ses forces :

— Hue ! Hue donc !

— On tape pas sur les chevaux, lançait le père. Tu verras, on en aura bientôt un. Je t'apprendrai à le mener sans jamais cogner.

C'était une alternance de coups de colère, de rires, de crises de larmes. S'empoignant parfois aux cheveux, les deux monstres roulaient sur le plancher rugueux fait de troncs refendus, heurtaient les caisses et les pieds de table. Trois fois ils renversèrent des boîtes de clous. Cyrille tempêtait. Élodie se lamentait et la petite Clémence s'appliquait à ramasser les clous qu'elle remettait dans les boîtes en les classant par taille.

En raison de la buée et de la neige collée aux vitres, la lampe dut rester allumée toute la journée.

Cyrille avait fabriqué une espèce de suspension en fil de fer qui avait beaucoup fait rire Élodie. Parfois, la désignant du regard, elle murmurait :

— Seigneur ! Sommes-nous pauvres !

Cyrille poursuivait sa besogne en jurant chaque fois qu'il se tapait sur les doigts :

— Bon Dieu, on n'y voit rien, là-dedans !

Élodie le plaignait. À un certain moment, elle dit :

— Mieux vaut qu'on n'ait pas trop de lumière, ça n'est pas très beau.

Elle montrait les cartons cloués dans tous les sens, avec leurs inscriptions : nouilles, riz, fruits secs, marmelade, thé, avec des réclames aussi, où l'on voyait une vache les pattes en l'air ou des gens buvant la tête en bas. Comme Cyrille semblait hésiter entre le rire et la colère, Élodie ajouta :

— Au printemps, je donnerai une grande réception. J'inviterai toutes les amies de ma mère. Pas une n'a une pareille décoration. Elles sont capables d'en lancer la mode.

— Un jour, tu pourras les inviter, tes pimbêches. Elles en baveront devant nos terres !

La lueur de la lampe, le rougeoiement du foyer et la clarté blafarde de la fenêtre se combattaient, se mêlaient parfois en un jeu auquel la bouilloire ajoutait des nuées grises. Les garçons continuaient à se chamailler et leur sœur avait bien du mal à les éloigner du fourneau.

— Ça devient infernal ! hurlait Cyrille en brandissant son marteau comme pour les assommer.

Le soir du troisième jour approchait. Soudain, la lueur qui filtrait par les vitres se métamorphosa. Elle poussa une lame plus nette. À travers les murs et la toiture, quelque chose d'indéfinissable était perceptible. L'annonce d'un enveloppement de soie.

Enfilant ses bottes et sa grosse veste, Cyrille sortit. La neige ne tombait plus et le monde était rouge. Le sang du ciel ruisselait sur les arbres courbés, écrasés par la neige. Des branches commençaient à se secouer, laissant tomber des brassées de poussière très fine. La colline plus ronde s'était endormie, pareille à un gros animal pelotonné sous une couette rose duveteuse.

Dès qu'il eut dépassé la place qu'il avait déblayée à plusieurs reprises dans la journée pour rentrer des bûches,

Cyrille enfonça jusqu'à mi-jambes. Il dut renoncer et rentrer lacer ses raquettes. S'étant éloigné d'une centaine de pas, il se retourna. La neige s'était amoncelée contre le pignon nord de la maison et formait une butte qui montait presque jusqu'au toit. Au sud, une longue congère filait en décroissant, décrivant une courbe jusqu'au ruisseau. Avec son œil d'or, cet énorme mufle, son corps gris et cette longue queue, la maison avait l'air d'un étrange poisson posé au pied de la colline. S'en retournant, Cyrille cria :

— Habillez-vous ! Venez voir ! Venez voir !

Comme ils ne disposaient que d'une seule paire de raquettes, il dut faire monter sa femme et les petits sur la traîne. Ce fut une expédition de plaisir, avec des cris, des rires, des chutes dans la neige où le traîneau versa trois ou quatre fois. Élodie riait autant que les enfants. Bien que le vent se fût calmé, le froid était vif, mais la joie réchauffait.

— C'est beau, dit Élodie, mais nous voilà bien prisonniers, avec tout ça.

C'était plus propre, en tout cas, que les rues pentues de Montréal où les chevaux glissaient. C'était autre chose que la gadoue noirâtre et gelée où les pieds se tordaient. Plusieurs fois, Cyrille s'était blessé en tombant, un sac de charbon sur le dos. La grise aussi avait fait des chutes, se couronnant les genoux. Une fois, avec son crampon à glace, elle s'était si profondément ouvert l'intérieur d'un canon qu'on s'était demandé s'il ne faudrait pas l'abattre.

A présent, tout cela était loin de cette petite maison qui avait l'air d'un gros jouet oublié devant une colline de coton que le soir colorait de mauve. Seule la fumée sortant de la cheminée rappelait que la maison était bien faite pour abriter des vies.

Cyrille alla pelleter devant la porte et nettoyer un peu le tas de bois. Les enfants jouaient à l'aider, se poussant dans la neige où ils roulaient avec des cris stridents. Ils s'arrêtèrent lorsqu'un train s'annonça de loin par de longs sifflements. Il devait pousser un chasse-neige et peiner beaucoup. La locomotive haletait. Le convoi roulait très lentement.

Cyrille fit rentrer les enfants, puis charria une pile de bois qui se mit à transpirer derrière le poêle brûlant. Il en profita pour sortir les cendres et vider le seau dont ils s'étaient servis pour leurs besoins durant la tempête. Il rentra également des pleines gamelles de neige et de glace.

Comme il descendait la lampe et l'éteignait pour emplir le réservoir de pétrole, Élodie qui l'éclairait avec une bougie soupira :

— C'est vrai que nous sommes très pauvres. Mais les pauvres des villes sont plus pauvres que nous... Ils ont la honte, en plus.

Ayant revissé le bec et longuement mouché la mèche, il remit le verre en place et tourna lentement la molette pour régler la flamme. Son visage était tendu par ce travail. Élodie l'observait. Lorsqu'il eut replacé la lampe dans son armature de fil de fer et rangé le bidon, elle vint se coller à lui. D'une voix à peine perceptible, elle demanda :

— Est-ce que tu crois vraiment que nous saurons semer ? Et récolter ? Et engranger ?

Il la serra fort et souffla :

— On saura. Je te jure qu'on saura. On est sur une fameuse terre. La meilleure de toutes.

— Tu en es sûr ?

— Faivre me l'a dit.

— Si elle n'était pas bonne, ce serait pas la peine d'être si loin.

— C'est vrai qu'on est loin, mais au moins, on est bougrement tranquilles.

27

L E gel avait serré très fort durant la nuit et son étreinte s'accentua encore avec les premières lueurs. Avant même de se lever, Cyrille le sentit. Tout le disait. La sonorité du vent, sa manière de couiner en abordant la toiture, les craquements de la maison. C'était un froid musical et porteur de lumière.

Sans réveiller Élodie ni les enfants, Cyrille se leva. Le foyer était encore tout plein de braises rouges et une bonne tiédeur régnait dans la maison. Cyrille avait envie de crier que si son travail avait résisté à cette tempête, il résisterait tout l'hiver.

Il s'habilla en hâte, ouvrit avec mille précautions la porte du foyer et posa trois petites bûches refendues sur les braises. Il y eut un pétillement suivi bientôt du chuintement de la résine qui commençait à s'enflammer. Cyrille s'approcha de la fenêtre. Avec son ongle, il gratta les fleurs d'hiver que la nuit avait ciselées et approcha son œil. Une caresse rose passait déjà sur la neige. Il se frotta les mains. Une flambée de force était en lui. Un grand désir d'aller.

Il commença cependant par se diriger vers le pignon nord de la demeure. Lentement, il passa ses mains le long des jointures des cartons. C'était à peine si l'on sentait çà et là un tout petit biseau glacé. Lorsque les joints seraient colmatés à l'extérieur avec de la mousse ou de la vieille ficelle, plus rien ne passerait. Bon travail ! Bonne idée que ces cartons, même si la publicité et les étiquettes d'expédition déplaisaient un peu à Élodie. S'il avait seulement pensé de les clouer tous à l'envers, mais ça faisait partie des idées simples qui ne lui venaient jamais.

Étant revenu près du fourneau, Cyrille hésita un moment. Il eût aimé boire du thé et manger un peu avant de sortir, mais il ne voulait pas prendre le risque de réveiller les enfants. Il avait envie de jouir de ce silence pétillant de gel. De ce calme. De cette lumière qui montait. Il avait hâte d'y plonger. De se trouver seul sur cette neige recouvrant sa terre et de s'attaquer aux arbres.

Il acheva de s'habiller, prit sa grande cognée et sa hache à ébrancher, puis, ouvrant la porte doucement, il sortit.

Les retournements du vent avaient sculpté le sol. On y lisait les traces d'un combat. Les vagues se heurtaient, se chevauchaient, se couraient après, tournoyaient sans raison apparente. Cet univers pétrifié semblait un monde en mouvement. En fait, ce qui vivait à sa surface tourmentée était la rencontre de deux courants. Le premier venait de l'est, le second du nord. C'était à la fois, entre les deux, une rencontre et une course. Le premier était la nappe de soleil, le second la nappe de vent. Un fin brouillard de poussière miroitante filait d'une crête à l'autre. Et c'était lui, le grand modeleur de sol. À gestes ténus, il balayait ici pour thésauriser plus loin.

Cyrille s'éloigna lentement, pas très à l'aise avec les raquettes sur cette surface mouvementée qui résistait ici, solide et lustrée comme un marbre, pour craquer un peu plus loin ou s'effriter. Dès qu'il eut atteint la forêt, la musique changea de ton. La voix devint plus profonde, les instruments plus nombreux. Les arbres ne portaient presque plus de neige. La nuit les avait secoués sans relâche et l'aube continuait. Cyrille se retourna. Les congères autour de la maison s'étaient également métamorphosées. Il fut ému, soudain, à l'idée de ces quatre vies dormant au chaud, sous cette carapace que le soleil lustrait d'or et de violine. Caressée à rebrousse-poil, la colline aussi avait changé d'aspect. Elle s'était assombrie. Elle ronronnait et grognait tout en même temps, hésitant entre la colère et le jeu.

Un long moment, Cyrille chercha par où commencer. Mieux valait un endroit abrité. Il marcha encore en lisière, puis, s'étant décidé pour une grosse épinette, il ficha sa petite hache dans une souche émergeant de la croûte glacée et se mit à piétiner la neige autour du tronc qu'il voulait attaquer. Une fois la neige tassée, il délaça les raquettes et les laissa de côté. Après avoir coupé quelques branches gênantes, il commença l'abattage. Le bois gelé était dur, mais les coups portaient franc. De belles éclapes larges comme les deux mains giclaient dans la lumière. C'était un peu comme s'il eût abattu son premier arbre. Les autres, il les avait coupés en pensant au rôle que chacun d'eux tiendrait dans sa construction. À présent, il abattait vraiment pour agrandir sa terre. Et c'était le plus important.

Il changea trois fois de place avant de donner les derniers coups. L'arbre amorça un lent mouvement, une chute raide, à peine vrillée, avant de s'allonger dans un grand craquement et un éclaboussement de neige.

À peine l'écho s'était-il éteint que la voix d'Élodie arrivait, limpide et douce dans cette clarté.

— Eoh! Viens! Tu n'as rien pris... Viens vite.

Cyrille fit un grand geste et planta sa hache à la base du tronc abattu. À présent, il pouvait aller. Il pouvait plonger de nouveau dans la chaleur et le vacarme. Quand il aurait mangé, il ferait sortir les enfants qui pourraient courir et crier, se quereller dans la lumière blonde, il avait eu son moment de solitude et de paix. Son étreinte jalouse avec ce qui allait être sa terre. Il tasserait un sentier pour que ses fils puissent marcher. Ils ne feraient sans doute pas grand-chose, mais ils pourraient pourtant traîner quelques branches, avoir un premier contact avec cet avenir que leur père défrichait ; apporter leur contribution à ce domaine qu'un jour ils agrandiraient.

Lorsque Cyrille ouvrit la porte, une bonne odeur de pain grillé l'accueillit avec les premiers piaillements des garçons.

28

URANT plus d'une semaine, le travail se poursuivit. À mesure qu'il abattait, Cyrille ébranchait. Il laissait les troncs sur place. S'il faisait déjà, la première année, une bonne récolte sur la partie nue de sa terre, il trouverait à emprunter de quoi acheter un cheval. Il pourrait alors tirer les troncs, les gerber pour éviter qu'ils ne pourrissent et les vendre à la scierie dès que la route serait ouverte. Tout ce qui n'était pas vendable, il le fabriquerait en bois de feu quand il aurait davantage de temps.

Ses mains s'étaient très vite habituées à la hache et au froid. Le soleil et le nordet tenaient bon. Au fil des jours, la neige s'était tassée jusqu'à devenir pareille à un sol qu'un maçon fantaisiste eût dallé sans l'aplanir. Les raquettes étaient devenues inutiles. Pour ne pas trop glisser, pour se protéger du froid et économiser ses bottes, Cyrille les enveloppait de toile à sac qu'il maintenait en place à l'aide de grosses ficelles. Élodie fit de même aux chaussures des garçons qui passaient plus de temps dehors qu'à la maison.

Un matin, jugeant que la croûte devait être bonne tout le long, Cyrille décida de se rendre à Saint-Georges. Il voulait prendre d'autres cartons pour terminer son double habillage, et Élodie commençait à manquer de certaines denrées. Il y eut un moment pénible car les garçons voulaient absolument l'accompagner. Comme la mère le poussait à les emmener, il dut encore crier. Il s'en alla de mauvaise humeur et fâché avec tout le monde. Il était d'autant plus furieux que s'il tenait tant à faire le trajet seul, c'était précisément pour le plaisir d'Élodie et des petits. Toute la semaine, en abattant son bois, il avait pensé à Noël. À présent, il s'en allait le long de la voie, tirant sur le chemin rectiligne la traîne où il avait attaché le long sac contenant la toile de tente qu'il rendrait à Steph Robillard. Le passage des convois avait quelque peu noirci la neige. Le déplacement d'air et les jets de vapeur contrariant la lente besogne du vent avaient creusé des remous, repoussé vers l'extérieur une forte houle dont le ressac cristallisé formait un curieux feston que les premières ronces de la forêt cousaient à gros points irréguliers et maladroits.

Cyrille regardait cette métamorphose du chemin sans la voir vraiment. À mesure qu'il marchait, sa colère s'apaisait. Sa joie renaissait, mais l'angoisse lui serrait la gorge. Il avait à la fois hâte et peur d'arriver. Il regardait approcher le bâtiment de la gare et le sémaphore.

Avant d'y parvenir, il s'arrêta, s'assit sur le traîneau et, quittant ses mitaines, il roula une très fine cigarette. Sa provision de tabac était presque à son terme, il l'économisait. Il tira deux bouffées qu'il garda longtemps dans sa poitrine : autre manière d'économiser. Il s'était tourné le dos au vent, car le vent activait la combustion et lui fumait la moitié de son tabac. Ayant écrasé son mégot entre ses doigts, il le remit dans sa blague et délaça les sacs enveloppant ses bottes. Il ne voulait pas être vu avec ça aux pieds. Ici, bien des gens étaient pauvres, personne n'eût prêté attention à ce détail, pourtant, Cyrille avait trop de fierté pour se montrer ainsi. Il roula le tissu, en fit un paquet et l'attacha à un longeron de son traîneau.

Un peu avant la gare, il quitta le sentier de ballast et descendit vers le moulin à scie. La grosse cheminée crachait gris. On entendait le ronflement de la machine à vapeur et le chant régulier des lames. La cour était encombrée de grumes. Les traces des charrois et le crottin firent battre plus fort le cœur de l'ancien charretier. Aucun attelage ne se trouvait là.

Cyrille Labrèche laissa sa traîne devant le bureau et poussa le lourd portail monté sur rail. La bonne odeur de sciure et de feu l'enveloppa. Averti par l'appel d'air Gendreau se retourna. Le gros homme à face ronde semblait toujours étonné avec son regard glauque derrière ses lunettes à montures brunes et à verres très épais. Il s'avança.

— Vous me reconnaissez ? demanda Cyrille.

Gendreau vint l'examiner de tout près avant de s'exclamer :

— Tu parles, si je te reconnais ! C'est toi qu'on est allés voir avec le char à pompe. Maudit ! J'ai cru qu'on rentrerait jamais. On a bien manqué dérailler plus de vingt fois.

— Vous avez été chics. Je voulais justement savoir comment ça s'est passé pour rentrer.

— Tu sais, on en a vu d'autres.

L'homme avait enlevé ses lunettes pour les débarrasser de la poussière de bois qui s'y était collée. Il les remit et dit :

— Viens au bureau, ça fait moins de bruit.

Ils entrèrent dans une petite pièce très encombrée. Un poêle à sciure sur lequel bouillait une casserole d'eau y entretenait une chaleur d'étuve. Le menuisier dut enlever de nouveau ses verres pour les essuyer de ses gros doigts rouges. En riant, il lança :

— Tu viens pas me demander de te redéménager !

186

— Que non. Je viens voir ce que je vous dois pour la fenêtre.

— C'est ma femme qui fait les comptes. Elle est jamais pressée... Alors, elle tient, cette fenêtre ?

— On est bien, vous savez. Sans vous autres, je me demande ce qu'on aurait fait.

— T'es un peu fou. Mais j'ai dans l'idée que quand y aura une route, tu seras pas plus mal qu'ailleurs. Puis t'as des beaux arbres.

L'homme avait sorti d'un petit placard regorgeant de tout un bric-à-brac une bouteille de gin et deux verres. Il versa.

— Tiens, ça te réchauffera.

Ils burent une gorgée. Cyrille regardait le gros homme et hésitait à parler. Pourtant, Gendreau venait de lui donner sa plus belle chance. Comme le menuisier replaçait sa bouteille dans le placard, il se lança :

— Justement, des résineux, j'en ai déjà abattu quelques-uns. Bien sains et de belle venue. Si vous étiez preneur, je vous les vendrais pas cher.

— J'ai toujours payé le bois le prix qu'il vaut. Seulement, faut pouvoir le sortir. La route, c'est pas pour demain.

Cyrille vida son verre pour se donner du courage.

— Écorcés et bien gerbés sur un sol sec, y s'abîmeraient pas... si vous pouviez seulement m'avancer un tout petit peu dessus.

Sans qu'on pût savoir s'il était secoué par la joie ou la colère, le scieur de long se mit à crier en se démenant et en déplaçant des papiers, des livres de comptes et maints objets encombrant la table.

— Ça alors, c'est trop fort. Tu viens soi-disant pour me payer ce que tu me dois, et tu me demandes des sous. Tout ça, c'est des manigances à notre curé. Ah, c'est un phénomène, celui-là! Parce qu'on est arrivés ici les premiers, dès qu'il a besoin, y connaît que nous. Les Robillard, le gros Gendreau et deux trois de la même charretée. Y a pourtant d'autre monde, à Saint-Georges. Mais non; t'as besoin : va trouver ceux-là!

Cyrille s'était dirigé vers la porte. Sa longue main nerveuse pétrit un moment son visage osseux qu'il avait enfin pu raser. Il lança :

— M'sieur le curé est pour rien là-dedans. Votre fenêtre, je vous la payerai dès que j'aurai la note.

Comme il allait ouvrir, le gros homme qui l'avait rejoint le prit par le bras. Un peu essoufflé, il demanda :

— T'as plus de sous?

Rogneux, Cyrille répliqua :

— J'en ai pas besoin.

La main du scieur serra plus fort et l'ancien charbonnier domina l'envie qu'il avait de se libérer d'une secousse. Il voyait le gros homme tel qu'il l'avait devant lui, et, en même temps, il le voyait arriver dans la tempête avec sa fenêtre.

— Allons, fit Gendreau, t'as besoin de combien?

Le regard autant que la voix désarmaient.

— Pour ce qui est du nécessaire, dit Cyrille, je suis en compte chez Robillard. Seulement, pour Noël, si je veux juste une bricole pour les petits, ça m'embête...

Il s'interrompit. Il ne trouvait plus ses mots.

— Des gamins qui auraient rien dans leurs bas pour Noël, fit Gendreau, ce serait pas bien de l'honneur pour le pays.

Il se tourna vers la fenêtre, tira de sa poche un gros porte-monnaie de cuir aussi luisant que sa face, il y plongea le nez comme s'il eût voulu en sortir quelque chose avec ses dents. Il prit un billet qu'il plia en huit, le tendit à Cyrille en disant :

— Tiens... Puis achète pas trop de cochonneries. Repasse par là en t'en retournant. J'aurai quelque chose pour toi.

— M'sieur Gendreau, mon bois, je vous jure que...

— Fous-moi la paix avec ton bois. On en parlera plus tard. Allez, va vite, mon billot va être au bout.

Ému mais déjà proche de la colère, Cyrille se planta devant la porte et dit en montrant le billet :

— Non ! Je peux le prendre que si c'est une avance !

Clignant des paupières derrière ses verres, le menuisier répliqua :

— T'as raison. C'est une avance. Les bons comptes font les bons amis. Tu me règleras en bois ou en charroi quand t'auras un cheval... Et oublie pas de repasser en partant.

Au Magasin Général, il y avait une bonne dizaine de clients. Des décorations de Noël scintillaient un peu partout. C'était Mme Robillard qui tenait le rayon des jouets. Steph et Justine Landry, une forte femme d'une trentaine d'années, s'occupaient de l'alimentation. Cyrille prit tout d'abord son pétrole et son épicerie selon la liste dressée par Élodie. Il prit aussi un paquet de tabac et un carnet de feuilles.

— Ça, je le paye, dit-il.

— Comme tu veux, dit Steph... La tente, tu la portes là-derrière. J'ai pas le temps à présent. Ça va, dans ton campe ?

— Ça va grâce à vous. Je vous revaudrai ça !

Cyrille alla ensuite vers Mme Robillard. Cette femme l'intimidait. Il profita qu'elle était occupée à servir une cliente pour faire son choix. Lorsqu'il eut acheté une petite poupée, un ballon rouge et un jeu de construction, il lui restait trois dollars. Il retourna vers Steph et prit une bouteille d'eau de Cologne. Comme il lui restait encore douze sous, il prit douze sous de caramels.

Ayant chargé tout ça sur son traîneau avec un énorme paquet de cartons qu'il avait lui-même écartelés et ficelés dans la réserve, il se dirigea vers la scierie. C'était l'heure de midi et Gendreau sortait juste de son hangar.

— Tu t'en vas déjà?

— Oui, je suis assez pressé d'aller.

— Attends une minute.

Se hâtant sur ses courtes jambes, le gros homme entra dans une belle bâtisse rouge à six fenêtres où pendaient des voilages et des rideaux de couleur. Tout près de la porte, se dressait un sapin bien décoré. Gendreau revint bientôt avec plusieurs paquets dans les bras.

— Tiens, ça, c'est un jouet qui était à mon garçon. Il est comme neuf. Tu verras, ça amuse bien les petits. Puis ça, c'est une boîte de biscuits. Ma femme a pas encore fait ses cakes de Noël. Cette bouteille-là, c'est pour toi. C'est du vin de bleuet que j'ai fait.

— M'sieur Gendreau... M'sieur...

Le menton pointu de Cyrille s'allongea encore et se mit à trembler, son regard s'était embué. Le scieur s'éloigna de deux pas, puis, revenant soudain, il dit :

— Tu sais, les Robillard, je suis certain qu'ils t'auraient fait crédit pour ça aussi. Y savent ce que c'est. C'est des gens qui ont enduré.

Il marqua un temps. Avec un léger tremblement dans la voix, il ajouta :

— Le premier cadeau que je leur ai fait, c'était un cercueil pour leur petit Georges... Je te jure, c'était dur, en ce temps-là...

Ils se regardèrent quelques instants, aussi émus l'un que l'autre, puis Gendreau dit :

— Tu sais, dans un pays qui se fait, y a pas de pauvres

et y a pas de riches. T'es pauvre aujourd'hui puis t'es riche demain. Ou le contraire. Si ça se trouve, dans un an d'ici, j'irai te demander de l'embauche sur ta ferme.

Toujours un peu ému, Cyrille sourit.

— Je souhaite que non, m'sieur Gendreau. Je le souhaite vraiment de tout mon cœur.

Le gros homme eut un regard en direction de sa maison. Cyrille crut qu'il allait s'éloigner. Au contraire, il se rapprocha de lui et confia :

— M'en vais te dire : je suis arrivé comme menuisier, avec le chantier du pont. Quand ça s'est terminé, j'ai décidé de rester à mon compte. Au début, j'ai pas cru au moulin à scie. Y s'en est monté deux. Celui où je suis, c'est un nommé Natel qui l'a ouvert. Un brave type mais qui buvait un peu. Quand y a eu la mine d'or du lac Ouanaka, il a pris des actions. Un petit peu trop. Et quand la mine a été noyée : plus rien ! Mon Natel en avait tellement gros qu'il s'est mis à boire dix fois plus. Tellement qu'un jour y s'est foutu à l'eau. On sait même pas si c'est un suicide ou un accident. Sa pauvre femme m'a revendu le moulin. Tu vois ce que c'est, la vie ? Elle est repartie avec ses deux petits.

Le gros homme semblait touché par ce souvenir. Il se moucha très fort dans un grand mouchoir à carreaux, puis, d'une voix plus gaie, il lança :

— Si je te revois pas avant : bon Noël !

— Bon Noël, m'sieur Gendreau. Bon Noël, je vous jure que j'oublierai pas.

29

Jamais encore Cyrille n'avait marché aussi vite en tirant un traîneau chargé. La joie décuplait ses forces. Il allongeait le pas, s'arrêtant seulement de temps à autre quand son souffle devenait trop court. Sa tuque de laine était trempée. Rien ne le pressait vraiment, mais c'était comme si, allant plus vite, il hâtait la venue de Noël.

À peu près à mi-chemin, cédant à l'envie d'entamer son paquet de tabac, il s'accorda une halte un peu plus longue et roula une cigarette. Lorsqu'il eut allumé, il ne put résister à la curiosité qui le tenait depuis qu'il avait quitté la scierie, il desserra une courroie d'arrimage et souleva le couvercle de la caisse où il avait serré tous les cadeaux. Il tira la boîte de carton vert foncé que lui avait donnée Gendreau et l'ouvrit. Elle contenait deux curieuses constructions en fer. Un schéma imprimé à l'intérieur du couvercle indiquait comment on pouvait les assembler par la base, à l'aide de deux tiges. C'était très simple. Une autre monture en croix soutenait deux petits gymnastes en métal peint dont les mains pivotaient autour d'une barre. Placée d'une certaine manière en haut de la construction, cette pièce roulait, descendant le long des rampes, s'arrêtait le temps de tomber d'une rampe à l'autre, puis repartait dans l'autre sens. Et les deux petits bonshommes rouges tournaient à toute vitesse autour de leur barre. Le rire de Cyrille se perdit dans la forêt avec la fumée de sa cigarette.

Il replaça trois fois les cascadeurs en haut de la construction de métal et les regarda descendre. Ayant démonté et rangé le jeu dans sa boîte, puis la boîte dans la caisse et serré la courroie, il reprit son chemin. Il dut faire une autre halte, le dos tourné à la voie, tandis que le train passait en hurlant et en soulevant des tourbillons de poussière glaciale.

Cyrille arriva bien avant le crépuscule. La cheminée fumait gris, la petite maison semblait somnoler. Cyrille s'arrêta avant de quitter le couvert du bois. Il ne pouvait voir ce qui se passait derrière les vitres, mais il était certain que des yeux guettaient son retour. En effet, dès qu'il émergea du couvert, la porte s'ouvrit. Clémence sortit la première, tout de suite suivie par Paul puis par Élodie qui tenait le petit Jules sur son bras. Les appels coururent sur la neige dure comme pour s'en aller jusqu'au fond de la forêt. Sans s'arrêter, Cyrille cria et leva la main. Il vit qu'Élodie avait grand-peine à empêcher les enfants de se précipiter dehors sans chaussures. Il cria :

— Rentrez ! Vous gelez la maison !

Élodie les contraignit à rentrer et referma la porte. C'était ce qu'il voulait. Il conduisit sa traîne jusque contre le pignon, puis, prenant le sac où étaient les provisions, il entra. Il y eut des cris de joie, des embrassades et une bousculade autour du sac. Cyrille ressortit, empoigna le paquet de cartons ficelés et revint.

— Voilà de quoi nous tenir au chaud.

— Il y avait aussi une caisse sur la traîne, dit la petite, qu'est-ce que c'est ?

— Rien du tout. Une caisse vide pour ranger des choses. Je la laisse dehors pour le moment.

Cyrille eût donné bien des troncs d'arbres ébranchés pour que l'heure fût venue de crier : bon Noël ! L'envie le démangeait d'annoncer au moins qu'il y aurait une surprise. Il fit pourtant l'effort de tenir sa langue et s'assit devant le poêle pour se déchausser.

— Alors, tu as vu des connaissances ? demanda Élodie.

— Juste les gens du magasin. Tous ceux qui sont arrivés avec nous ont déménagé. Paraît que sur le rang trois, y a deux campes de finis. Les hommes sont tous tassés dans un et les femmes dans l'autre avec les gosses. Ça doit pas être drôle. Pour l'heure, le bâtiment des colons est vide.

En vidant le sac où Steph Robillard avait serré les provisions, Élodie découvrit une boîte de pâté, une de saucisses et une tablette de chocolat qu'elle n'avait pas commandées.

— Tu as fait des folies, dit-elle.

— Non. J'ai rien demandé de ça.

— Alors, il s'est trompé ?

Cyrille fit non de la tête. Le visage du grand gaillard blond se confondait avec la bonne bille rougeaude de Gendreau. De nouveau ému, il dit :

— Je crois plutôt que c'est un cadeau.

Ils décidèrent de manger des saucisses.

— Le pâté, proposa Élodie, on pourrait le garder. Ça ferait notre Noël, avec le chocolat pour les petits.

Elle avait parlé bas. Les yeux très luisants, elle ajouta :

— Les pauvres, cette année, ce sera pas bien drôle.

Cyrille ne put se tenir de dire sans que les enfants puissent entendre :

— On sait pas, peut-être qu'il y aura autre chose.

Élodie l'interrogea du regard, mais il fit comme s'il ne voyait pas. Il avait réfléchi. Il ne pouvait pas prendre le risque de laisser cette caisse dehors. La rentrer sans en parler à sa femme, c'était à peu près impossible. Il pouvait dire qu'elle contenait du matériel pour travailler, mais Élodie risquait d'y jeter un coup d'œil. Il hésita jusqu'à la dernière minute puis, les enfants endormis, il se décida.

— Bon, dit-il. Je me suis arrangé avec l'homme du moulin à scie. J'ai pu avoir de quoi faire un petit Noël aux enfants. Seulement, je veux que ce soit une surprise pour toi aussi. Tu sauras qu'il y a quelque chose, mais faudra que t'attendes pour savoir quoi.

Élodie ne soufflait mot. Elle hochait la tête d'un air de dire : « Toi alors ! Tu es incroyable. » Mais elle ne le disait pas. Seul son beau visage un peu las et ses grands yeux bruns pouvaient parler.

Cyrille sortit. Une dernière lueur rouge traînait au couchant, écrasée par une épaisse nuée violette. Il prit sa caisse et rentra.

— On dirait que le temps veut se casser. Il reviendrait de la neige que ça m'étonnerait pas. Le vent tourne et ça se radoucit.

Élodie referma la porte. Cyrille était là, bien embarrassé de sa précieuse caisse.

— Où on peut la cacher ?

Sa femme fit des yeux le tour de la pièce. En riant, elle dit :

— C'est tellement grand ici, on ne sait jamais où mettre les choses.

— Le mieux, c'est de la poser là dans le coin. On mettra des grosses bûches dessus. Même s'ils avaient idée de chercher...

Il posa la caisse.

— Et moi, fit Élodie, je peux pas voir ?

Tendrement, Cyrille la serra contre lui.

— Je t'en prie, fais-moi ce plaisir. Je voudrais tellement que ce soit tout de même un petit peu Noël pour toi aussi.

30

L E malheur pesait sur le monde. Pourtant, du fond de
leur détresse, les gens en secret interrogeaient le ciel.
Ils étaient des milliers à attendre l'étoile de Noël.

Dans les villes, ceux qui subsistaient sur le Secours
direct essayaient de rogner sur les dix dollars de leur
allocation mensuelle pour offrir à leurs enfants ce qu'ils
baptiseraient un repas de Noël. La mère partagerait en
deux une tranche de pain. Tendant le premier morceau
elle dirait :

— Tiens, c'est du gâteau.

Donnant l'autre morceau, elle dirait :

— Mange-le avec, c'est du chocolat.

Et les petits, avec leur imagination et leur pouvoir
d'émerveillement, arriveraient peut-être à se figurer que
trois pommes de terre cuites à l'eau constituaient un
réveillon avec plusieurs plats et des desserts en abondance.

Les mères émues qui préparaient ces journées et ces
veillées plus dures à passer que les autres croyaient
encore, par moments, en la puissance du ciel, en l'infinie
bonté d'un Dieu qu'elles avaient toujours vénéré; elles
priaient en silence pour que se produise un vrai miracle la
nuit du 24 décembre.

Bien souvent, il n'y avait qu'une rue à longer, une place à traverser, pour passer d'un centre d'entraide à quelques demeures bien closes où Noël serait une vraie fête. Car le miracle, c'était peut-être qu'au plus fort de cette crise, il restât encore beaucoup de richesses pour quelques-uns.

Les chômeurs en guenilles, traînant des chaussures où la boue de neige entrait, ramassaient parfois, devant les porches, un mégot de cigare qu'ils dépiauteraient pour le faire durer plusieurs jours. Ils regardaient les fenêtres illuminées en pensant à leurs propres enfants. Leurs poings se serraient dans leurs poches trouées. Trop de fatigue les habitait pour qu'un souffle de révolte pût encore les soulever vraiment. Si l'hiver n'avait pas exterminé les miasmes des maladies, du moins avait-il tué le ferment de la rébellion.

Dans leurs allocutions que les journaux se complaisaient à reproduire, les politiciens parlaient un curieux langage. Ils affirmaient que la famine était bien loin de régner sur le pays. Selon les experts dont ils citaient les rapports, le terme de famine avait été abusivement employé pour évoquer, chez des enfants, quelques cas de malnutrition. Les pères et les mères qui voyaient dépérir leurs petits crachaient sur les journaux en tremblant de rage. Ils criaient :

— Ils ont raison, ça s'appelle pas comme ça. Ça s'appelle crever de faim !

Car des enfants mouraient d'avoir trop enduré. Les assistantes sociales venaient dans les maisons et disaient :

— Cet enfant n'est pas bien, il faudrait lui donner de l'huile de foie de morue.

— Vous en distribuez ? demandait la mère.

— Non, vous touchez une allocation. Il faut en acheter.

— Foutez-moi le camp, maudite folle ! J'ai déjà pas de quoi acheter du pain.

D'autres fonctionnaires quittaient leur bureau pour aller demander à des gens pour quelles raisons leurs enfants n'allaient plus à l'école. Honteux et ravalant leur colère, les parents finissaient par avouer que leurs petits n'avaient plus de chaussures et seulement des culottes trop courtes trouées aux fesses.

Les infirmières, les dames visiteuses, les professeurs rédigeaient des rapports qui s'en allaient traîner on ne savait dans quels services. Lorsque les vivres et les vêtements finissaient par arriver, parfois les gens avaient disparu, ou l'enfant était mort. Les mères éplorées voyaient à travers leurs larmes, à la devanture des cinémas, le visage joufflu de Shirley Temple. Hollywood continuait de fabriquer du rêve et certains pauvres parvenaient encore à trouver quelques sous pour aller rêver en se chauffant dans les salles obscures.

Les riches n'étaient sans doute guère plus riches que dans les années d'abondance, mais, les pauvres étant beaucoup plus pauvres, l'écart s'était creusé. Entre les deux extrêmes, il y avait le petit monde de ceux qui vivotaient. Modestes artisans rivés à une boutique, courant de çà et de là après une corvée mal payée; cultivateurs installés depuis peu et qui s'échinaient pour payer leur ferme à raison de deux ou trois dollars par mois. Pour les hommes qui s'épuisaient en travaux souvent ingrats, une bouteille de mauvais whisky ou un paquet de Picobac pour la pipe serait un fabuleux Noël.

Dans la plupart des grandes brasseries, des serveurs risquaient leur emploi pour aider les malheureux. L'homme, qui lorsqu'il travaillait avait été un bon client, continuait de venir. Il payait une tasse de café. Pour le prix de cette unique consommation, il pouvait demander également un bol d'eau chaude. Dans cette eau, il mettait une poignée de croûtons et versait sur le tout la moitié d'une fiole de ketchup. Ainsi, pour quelques cents, il mangeait une soupe qui était souvent son seul repas de la journée. Comme il mettait le plus possible de sucre dans son café, c'était un moyen de survivre. Mille et mille petites ruses naissaient ainsi de la misère, qui permettaient aux hommes politiques de continuer à proclamer que personne ne mourait de faim. Mais vint très vite un temps où les propriétaires des brasseries se mirent à surveiller. Les croûtons disparurent, on limita le sucre et le ketchup.

Sur les rangs nouvellement ouverts à la colonisation, les femmes s'unissaient, mettaient leurs trésors en commun et rivalisaient d'ingéniosité pour que Noël fût tout de même Noël. On inventait des recettes, on s'enhardissait à emprunter un peu plus dans les magasins qui accordaient encore du crédit. On laissait parfois en gage un bijou de famille jusqu'alors sauvé du désastre.

Sur le rang trois, en aval de Saint-Georges-d'Harricana, le grand Koliare affirmait :

— Le Père Noël est un homme du froid. Il arrive toujours par le Nord. Nous serons les premiers servis.

Et il s'enfonçait dans la forêt pour tendre des collets en promettant aux autres une gibelotte monumentale. Dans la semaine qui avait suivi la tempête, les hommes avaient pu terminer deux autres campes. Ainsi les familles vivaient-elles à présent dans quatre bâtisses. Sous l'impulsion de Charlotte Garneau, Noël se préparait sous le toit où logeait l'abbé Gauzon. L'ancien confiseur de Montréal avait pu thésauriser assez de sucre pour fabriquer quelques friandises. Les femmes découpaient des étoiles dans des cartons d'emballage, le prêtre préparait la messe de minuit en faisant chanter tout le monde à chaque veillée.

Les neuf familles entassées dans ces baraques minuscules se réjouissaient. Parce que Billon qui avait frôlé la mort allait mieux, on se prenait à croire en la grâce de l'Enfant Jésus. Les plus adroits taillaient du bois et déchiraient du papier pour fabriquer une crèche. Charlotte disait :

— On n'est pas à plaindre. Ceux qui sont restés dans les villes ont encore moins que nous.

Et le prêtre en profitait pour leur rappeler qu'ils avaient à remercier le ciel de tant de bienfaits.

31

É LODIE réveilla Cyrille :
— Écoute.
Il émergea de son sommeil et souleva la tête pour mieux
entendre. Sa femme demanda :
— Tu entends ?
— Oui.
— Qu'est-ce que c'est ?
Il écouta encore quelques instants.
— Je sais pas. Un drôle de bruit.
On eût dit que des milliers de bêtes minuscules
piétinaient partout. Sur le toit, contre le pignon, tout
autour de la maison.
— Je vais voir.
— Fais attention.
Cyrille se leva, enfila son pantalon. Le plancher était
glacé. Il chercha du pied les vieilles chaussures qu'il
portait à l'intérieur, les enfila puis passa sa grosse veste.
Tout était humide.
— Le feu est éteint, grogna-t-il.
Il marcha à tâtons, jusqu'à la porte. La nuit était si
dense qu'on ne voyait même pas le loquet qu'il souleva
lentement, en tirant légèrement sur le battant pour éviter
le bruit.

Dès qu'il eut entrouvert, il comprit : la pluie. Un déluge presque tranquille.

— Ben alors, si je m'attendais à ça !

— Y pleut?

— Comme en plein automne.

Il referma et chercha la bougie.

— Qu'est-ce que tu veux faire?

— M'en vais rallumer le feu.

— Quelle heure est-il?

Il s'approcha du gros réveil posé sur un rayon et dont le tic-tac s'était depuis longtemps intégré au silence. La flamme se coucha en direction du cadran.

— Bientôt six heures.

Cyrille revint au fourneau, ouvrit le foyer et tisonna les cendres. Quelques braises rouges apparurent sous les bûches qui avaient à peine commencé de brûler

— Le temps épais a bloqué le tirage.

Un enfant toussa.

— Ça doit être Jules, dit Élodie. Il a déjà toussé hier.

— Y sortiront pas aujourd'hui. Et nous non plus. Ça va pas m'avancer pour abattre.

— Ça devrait pas durer bien longtemps.

Les cendres sorties et le feu bien parti, Cyrille revint se coucher.

— Qu'est-ce qu'on peut faire, par un temps pareil?

Ils écoutaient ce bruit qui vivait par-delà le ronflement du fourneau. Il leur semblait beaucoup moins régulier. Le grignotis des gouttes continuait son chemin sans à-coups, mais des gargouillis, des frôlements le traversaient parfois.

— Rien que pour sortir tout près, ça va patauger. Une chance que j'aie rentré du bois.

Quelque chose les étreignait peu à peu qui n'était pas encore une véritable inquiétude. Ils fixaient l'obscurité en direction de la fenêtre. La première lueur glauque apparut très tard.

Cyrille se leva tout de suite et alla coller son nez à la vitre. Il ne vit que la neige qui semblait uniforme. Plus loin, la masse noire de la forêt se confondait presque avec le ciel.

Il alluma la lampe à pétrole et mit la bouilloire sur le feu. Avec un rire qui sonnait curieusement, il dit :

— En tout cas, faudra pas se casser la tête pour les provisions d'eau.

Élodie qui venait de le rejoindre répondit doucement :

— C'est dommage. Noël avec cette belle neige, ça aurait été plus joli.

— D'ici huit jours, le temps changera.

Ils n'avaient rien d'autre à se dire. Rien à faire que d'entretenir le feu et parler du temps. Il leur semblait qu'un grand vide se creusait autour d'eux. C'était la première fois qu'ils se sentaient vraiment prisonniers de cette minuscule demeure.

Lorsque le jour livide fut enfin levé, ils contemplèrent longuement ces étendues de neige où l'eau ruisselait pour former de larges flaques qui grandissaient très vite. Les résineux y plaquaient des reflets presque noirs. Les enfants observaient aussi, désolés de voir disparaître cette neige où ils avaient tant joué. Cyrille fit lentement le tour de la pièce en scrutant les murs et le plafond, en palpant les cartons.

— En tout cas, c'est une fameuse épreuve pour ma toiture. Tu peux regarder, pas une goutte qui passe. Je m'en vais profiter pour clouer les cartons que j'ai ramenés hier. Une chance que j'y sois allé, ce matin, ce serait autre chose !

Élodie essaya de plaisanter :

— J'espère que, quand nous aurons une vraie maison,

tu trouveras encore des beaux cartons comme ça pour.tout l'intérieur.

La journée s'étira, interminable. Puis une autre nuit sans que se modifie un instant le rythme de l'averse. Simplement, à l'aube du deuxième jour, quelques gifles de vent venues du sud-est se mirent à courir, brouillant les reflets sur les flaques qui devenaient étangs.

Au cours de la journée, la température s'éleva encore. Dès midi, la terre apparut entre les îlots d'un blanc pisseux qu'on devinait spongieux. Seules les congères subsistaient dont les bords croulaient parfois.

Les deux garçons étaient à moudre. Ils ne cessaient de se quereller. Élodie gémissait, Cyrille poussait d'énormes coups de gueule.

Pour économiser le pétrole, ils mangèrent leur soupe du soir vers quatre heures de l'après-midi, puis ils se couchèrent. Les enfants se chamaillèrent encore un moment dans la pénombre, mais, assez vite, ils s'endormirent.

Élodie aussi s'endormit alors que s'étiraient les dernières lueurs, mais Cyrille resta plus d'une heure à écouter ce bruit qui le pénétrait. Depuis longtemps, la neige du toit avait glissé par paquets qu'on avait entendus s'étiaffer dans la boue. À présent, le roulement de l'averse était plus brutal sur la couverture de papier goudronné.

Cyrille finit aussi par trouver le sommeil et c'est encore Élodie qui le réveilla en le secouant.

— Ça craque !

La voix pâteuse, il se retourna.

— Laisse faire. C'est le bois qui travaille.

Quelques minutes passèrent. Il était à moitié éveillé. Il perçut un fort craquement et comme une légère secousse. La main de sa femme se referma sur son bras. Les ongles s'enfonçaient.

— Ça bouge !

— Penses-tu.

Elle cria presque, la voix vibrante d'angoisse :

— Je te dis que le plancher a bougé.

Elle avait à peine achevé sa phrase qu'ils éprouvèrent l'impression que leur lit s'inclinait sur le côté. Aussitôt, Cyrille bondit. Allumant son briquet, il chercha la bougie.

— Là, là.

Elle la lui tendit. Sa main tremblait. Celle de Cyrille était ferme.

— T'affole pas. C'est peut-être rien du tout. J'ai de quoi consolider.

Il hésita avant d'ajouter :

— Vaut mieux t'habiller et habiller les petits. Y a pas de risque, mais tu seras plus tranquille. Je vais voir dehors.

De fortes bourrasques cinglaient les vitres comme des poignées de sable. Dès qu'il fut habillé et botté, laissant sa femme réveiller les enfants, Cyrille se dirigea vers la porte. Lorsqu'il voulut l'ouvrir, elle résista. Il poussa de l'épaule puis cogna du pied.

— Le bois a gonflé, dit Élodie.

Il grogna entre ses dents.

— Pourtant, du bois vert !

Il poussa si fort que la porte se tordit et fit ressort, le rejetant violemment en arrière.

— Seigneur ! dit Élodie. Tu vas te faire mal.

— Vérole ! Qu'est-ce qui est tombé là-derrière !

Prenant une longue bûche, Cyrille réussit à l'engager suffisamment pour faire levier et écarter la porte de quelques pouces.

— Apporte la bougie.

Élodie se précipita. La bougie s'éteignit. Le petit Jules se mit aussitôt à hurler. Un objet métallique dégringola. Cyrille lança :

— Restez tranquilles, nom de Dieu !

Ayant laissé sa branche coincée entre la porte et le chambranle, il battit le briquet, ralluma la bougie et l'enferma tout de suite dans la lanterne. Tout en manœuvrant son presson de bois, il se baissa pour regarder ce qui bloquait la porte. Élodie qui s'était penchée aussi se redressa en criant :

— Seigneur ! Nous sommes perdus !

A cet instant-là, comme pour ajouter à la frayeur, la maison se remit à couiner de tous ses meubles en s'inclinant un peu plus.

— Occupe-toi des gosses, sacrebleu ! Habille-les en vitesse.

Cyrille se précipita vers la fenêtre. Il approcha la lanterne mais ne put voir que la pluie ruisselant contre la vitre. En bas, l'eau boueuse suintant entre les bois transperçait les cartons. Cyrille revint à la porte. La maison s'étant inclinée un peu plus sur sa façade aveugle, il parvint à ouvrir. Une rafale mouillée entra. La lueur de la bougie tremblotant derrière le verre noirci ne portait pas loin sur la surface du bourbier où l'eau ruisselait, constellée de gouttes et parcourue de frissons. Cyrille cria encore pour faire taire les enfants. Il sentait monter l'angoisse, mais il conservait sa lucidité. Il ne voyait pas comment ils allaient se sortir de là, mais il devait agir très vite pour éviter le pire.

— Viens ici, Clémence.

La petite s'approcha. Son visage livide avait la gravité de celui d'une vieille.

— Tu vas tenir la lanterne pour m'éclairer.

Elle obéit et se plaça près de la porte. Cyrille commença par lancer dehors, le plus loin possible, le bidon de pétrole. Puis prenant deux sacs vides pour se protéger les mains, il déboîta le cornet à fumée et, saisissant à bras-le-corps le fourneau brûlant, il le porta jusqu'au seuil et le fit basculer vers l'extérieur. Il y eut un plouf suivi d'un long chuintement. La fumée avait envahi la pièce. Ils se mirent tous à tousser.

L'averse ne diminuait pas, mais une lueur à peine perceptible semblait se dessiner.

— Faut sortir, ordonna Cyrille.

— Aller où ?

Sans hésiter, il répliqua :

— Grimper dessus.

Avec le manche de sa pelle, il venait de sonder la boue. L'outil s'était enfoncé presque jusqu'au fer sans rien rencontrer de solide.

— Allez ! Traînons pas. Faut pas se laisser prendre comme des rats.

Cette fois, sans rien lui ôter de sa lucidité, la peur venait de l'étreindre vraiment. Enlevant la table, il la retourna et la sortit pour la poser sur la boue, les quatre pattes en l'air.

— Ayez pas peur, le jour sera bientôt là.

La table sortie, il ordonna à sa femme :

— Passe devant, je vais t'aider à monter.

Dès qu'Élodie voulut lâcher les enfants, ils se mirent à hurler. Six petites mains la retenaient par son manteau.

— Allons, Clémence, lança le père, t'es une femme, toi ! Empoigne tes frères. Faut qu'on se tire de là.

Comme Élodie sortait, il y eut encore un craquement et le plancher s'inclina de telle manière qu'ils durent tous se cramponner. Les deux garçons ne criaient plus. Ils gémissaient :

— Maman.. maman...

Les lits et les caisses glissaient vers le fond. Tous les objets dégringolaient dans un bruit de ferraille et de vaisselle cassée. La vitre de la fenêtre se brisa.

Tenant la lanterne d'une main, tiré vers l'intérieur par les enfants, Cyrille aida tant bien que mal sa femme à se hisser sur le plateau de table qui s'enfonça un peu dans la boue.

— Tiens-toi au rebord de la porte.

— Ça va.

— Allez, grimpe.

Il la hissa sur le toit. En raison de l'inclinaison de la bâtisse, l'ascension était plus facile.

— Couche-toi à plat ventre, je vais te passer les petits !

Le jour naissait. Son reflet laiteux s'étirait dans l'ombre du bois.

— Ça y est, dit Élodie dont la voix était presque calme.

Cyrille lui passa le petit Jules, puis Paul, puis Clémence qui ne pleurait pas. Il la serra fort un instant et dit :

— Faut pas avoir peur. Faut aider ta maman. T'es ma grande fille, toi.

Il la sentait trembler. Elle souffla :

— Oui p'pa.

Dès que la petite eut rejoint les autres, Élodie implora :

— Monte, toi !

Les enfants se mirent à l'appeler aussi.

— Attendez, je passe des outils.

Il chercha sa hache, sa pelle boueuse, sa serpe et ce qu'il possédait de corde. Lorsque sa femme eut tout attrapé, il eut un regard circulaire. À l'autre bout, c'était un entassement de tout ce qui avait glissé. Quoi prendre ? Quoi sauver ? Tout défila dans sa tête. Il sentit crever un rire aigre lorsqu'il pensa aux cadeaux de Noël. Des larmes de rage montèrent à ses yeux. S'ébrouant comme pour chasser un cauchemar, il se hissa à son tour.

Il pleuvait toujours, mais moins fort. Le vent avait fraîchi. La lumière baignait un paysage de déluge. Par-delà les premiers résineux dont les pieds trempaient dans l'eau boueuse, on apercevait la neige sur les terres en élévation. Il en restait également sur la colline, mais, tout autour de leur cabane renversée, c'était le marécage.

Cyrille comprenait fort bien ce qui s'était passé. Les glaces avaient dû obstruer les drains à l'endroit où ils passaient sous la voie. L'eau s'évacuait moins vite qu'elle n'arrivait. Le lac allait reprendre sa place. L'eau clapotait pas loin de leur refuge.

— Qu'est-ce qu'on va faire, Seigneur !

— Laisse-moi réfléchir.

Cyrille luttait contre l'envie de hurler. D'appeler au secours. Mais il savait que nul cri ne pouvait porter jusqu'à Saint-Georges. S'il se mettait à crier, il épouvanterait encore davantage les enfants.

— On dirait que ça ne s'enfonce plus, dit-il.

— J'ai froid.

Les deux garçons se remirent à pleurer en claquant des dents. Enlevant sa pelisse, Cyrille les enveloppa.

— Tu vas prendre la crève, dit Élodie.

— J'ai pas froid du tout.

C'était presque vrai. En même temps qu'il essayait de trouver une solution, Cyrille commençait à s'injurier. Il s'accusait d'avoir mené les siens à leur perte par son foutu caractère de chien. Puis, il accusait les autres. L'agent des terres. Le curé. Tout le monde. Tous étaient responsables puisque personne ne lui avait dit que cette terre risquait d'être inondée.

Une bonne terre asséchée, bien drainée ! Dérision !

À mesure que le jour grandissait, le spectacle devenait de plus en plus inquiétant. On voyait le flot arriver le long de la colline et tournoyer en charriant des arbres déracinés et des paquets de branchages.

— On est perdus, perdus, pleurnichait Élodie.

Seule Clémence ne pleurait toujours pas. Une grande

terreur se lisait sur son petit visage blême, mais ses yeux qui ne quittaient pas son père semblaient tout attendre de lui comme s'il eût détenu le pouvoir de les prendre sur son dos et de s'envoler avec eux. Cyrille regarda encore autour. S'il n'agissait pas immédiatement, ils allaient tous crever là. Même si la maison cessait de s'enfoncer, même si la pluie s'arrêtait, ils étaient perdus. Seul un gel brutal pouvait solidifier la boue, mais en même temps, il les pétrifierait dans leurs vêtements trempés. Ce qui était le plus près d'eux, c'était les derniers troncs qu'il avait ébranchés. Il devait bien y avoir au moins trente pas, peut-être quarante pour les atteindre. Mais leur base reposait sur la terre ferme.

Cyrille s'accroupit devant les enfants blottis contre leur mère. D'une voix forte, mais sans crier, il dit :

— Clémence, tu vas rester là avec tes frères. Pas longtemps. Faudra pas longtemps. Si tu le fais pas, on est tous foutus.

Comme Élodie geignait en implorant le Seigneur, il l'empoigna par les bras et la secoua fort.

— Toi, si tu veux sauver les petits, faut faire ce que je te dis, t'entends ? Faut le faire. Si tu le fais, je te jure qu'on s'en sortira.

Un énorme sanglot retenu secoua Élodie. Ravalant d'un coup son chagrin et sa peur, elle se leva pour le suivre tandis que la petite, à demi couchée sur ses deux frères, les obligeait à rester au faîte du toit.

Cyrille redescendit sur la table qui tenait toujours à la surface de la boue.

— Passe-moi la grande hache.

En quatre coups bien assenés, il fit éclater le chambranle à hauteur des gonds et, posant son outil, il empoigna la porte qu'il réussit à tirer du bourbier. Il la jeta à plat à une enjambée de la table. Tendant les bras, il aida Élodie à descendre. Les garçons appelaient :

— Maman, maman... nous laisse pas !

— Restez tranquilles, cria la mère.

C'était la première fois que Cyrille l'entendait élever la voix ainsi. Médusés, les enfants se turent.

— On va sortir tout ce qu'on peut. M'en vais tout te passer.

Il descendit à l'intérieur et, avec une force qui le dépassait, il se mit à empoigner les caisses, les meubles, les matelas, un sommier. Sa femme les tirait comme elle pouvait. Quand elle était trop encombrée, Cyrille bondissait dehors, levait les charges au-dessus de sa tête et, de la table à la porte, d'une caisse à un petit placard, il avançait dans le marécage en direction des troncs d'arbres. Chaque voyage permettait quelques pas de plus. Les dents serrées sur sa peur, sa femme l'aidait de toutes ses forces.

À mesure qu'on approchait des arbres, la matière glaiseuse et tourbeuse était moins molle. A la fin, n'ayant plus ni planches ni caisses, Cyrille attaqua à la hache le rebord de la toiture et arracha deux grands pans de la claie de branchages recouverte de papier goudronné.

— Bon Dieu, c'était solide ! rageait-il.

C'était tout son travail, toute sa peine qu'il détruisait là.

Tandis qu'il emportait ces deux derniers lambeaux de radeau, ces deux jalons de ce chemin mouvant, sa femme allait déjà chercher les garçons. Cyrille ayant pris pied à l'extrémité des arbres abattus se retourna. Silencieuse, minuscule sous le ciel fou, la petite attendait.

— Bouge pas, ma chérie, cria-t-il, j'arrive !

Comme les troncs risquaient de tourner, il aida Élodie à gagner la terre ferme, puis, sautant d'un jalon à l'autre, il courut vers sa fille qui se jeta dans ses bras dès qu'il eut atteint la maison.

Alors seulement, le serrant de toutes ses forces, l'enfant éclata en sanglots en hoquetant :

— Papa... papa... j'ai froid.

L'étreignant fort, Cyrille partit du plus vite qu'il put sur cette succession de planches qui commençaient à basculer et à s'enfoncer. Les cheveux trempés de l'enfant venaient se coller à ses lèvres serrées qui répétaient dans un souffle :

— Ma chérie... ma chérie... on est sauvés.

32

Lorsqu'ils se retrouvèrent, tous les cinq, en bordure du bois, les pieds sur le tapis spongieux d'aiguilles, de feuilles et de mousses, ils regardèrent en direction de la maison. Le ciel qui pétrissait encore du plomb et de l'étain y mêlait des lueurs sulfureuses. Leur reflet vibrait sur la rivière qui courait au pied de la colline et vernissait la boue tout autour du petit campe perdu. À demi renversé, le bâtiment qui continuait de s'enfoncer semblait une niche à chien oubliée dans un bourbier. Déjà il commençait à dériver lentement vers l'aval.

Ce spectacle les cloua sur place quelques instants. Muets. Écrasés. Puis, d'une voix qui grelottait, Élodie murmura :

— J'ai eu si peur.

Comme si cette phrase eût réveillé Cyrille, il lâcha sa femme qu'il serrait contre lui.

— M'en vais vite faire un voyage pour sortir...

Elle l'interrompit en lui empoignant le bras :

— Non. Je t'interdis...

Clémence le prit par son pantalon boueux.

— Papa ! Mon papa. Je veux pas. Reste avec nous.

— Qu'est-ce que tu veux sauver ? cria Élodie. Et comment tu veux l'emporter ?

Avec une violence de poudre, la colère de Cyrille bondit hors de lui :

— Bon Dieu, hurla-t-il. C'est ma faute ! Tout ça, c'est ma faute. J'ai voulu venir là. Plus malin que les autres. Engueuler tout le monde. Foutre la merde...

Il crachait de rage. Élodie lui serra le bras.

— Crie pas ! Faut aller. Les petits sont trempés.

Saisi soudain par la vision du chemin qui les séparait de Saint-Georges, Cyrille retrouva son sang-froid. Il demanda à Clémence :

— Tu peux marcher ?

— Sûr p'pa. Je peux courir.

— Laisse-moi porter mon petit Jules, fit Élodie.

— Non, occupe-toi de la gamine.

Ramassant ses deux garçons, il s'engagea sous bois, par le sentier qu'il avait ouvert. Il y faisait encore sombre, mais les restes de neige éclairaient cette pénombre ruisselante et glacée. Au début, tout alla bien. La couche épaisse d'aiguilles et de feuilles avait absorbé l'eau. La neige tassée par le passage de la petite traîne marquait deux rails à peu près ininterrompus. Au premier abaissement du sol, ils furent arrêtés. L'eau avait monté. Elle portait encore sa plaque de glace, des amas de neige pourrie et noircie. Les dévers étaient glissants. Ils durent faire demi-tour et chercher un passage. Plus loin, Cyrille s'empêtra dans des ronciers et se mit à jurer. Les enfants lui serraient le cou à l'étrangler. Il s'en voulait de n'avoir pas accroché sa serpe à sa ceinture. Dès qu'il s'écartait du sentier, il devait se baisser pour passer sous des branches et enjamber des troncs couchés ou des broussailles. À plusieurs reprises, il dut poser les enfants et les obliger à marcher. Les petits ne pleuraient plus. Livides, ils allaient sous ce crépitement de gouttes énormes qui s'accentuait en douche serrée chaque fois qu'un arbre était secoué.

Habituellement, il fallait à peu près un quart d'heure pour atteindre la voie; ce matin-là, ils mirent pas loin d'une heure. Clémence tomba deux fois dans la boue. Elle ne se plaignait pas. Élodie marchait, les dents serrées, le visage tendu par la douleur. Elle portait des souliers bas aux semelles trop minces. Déjà, une couture avait craqué. Ses pieds étaient trempés. À plusieurs reprises, une de ses chaussures resta prise dans le bourbier d'un bas-fond. Elle s'appuyait à un arbre, Clémence l'aidait à se rechausser.

— Rien! Plus rien.

Cyrille ne cessait de répéter ces mots à demi mâchés. Il serrait fort contre lui ses deux fils, et, très souvent, il se retournait pour s'assurer que sa femme et sa fille suivaient. Non, il n'avait plus rien; il avait pourtant sauvé le plus précieux.

Lorsqu'ils finirent par prendre pied sur le chemin de ballast, la pluie avait cessé. Déchiré par une soudaine respiration du nord, le ciel s'ouvrait. La lumière grandissait. La forêt constellée étincelait.

— Faut se dépêcher, lança Cyrille, ça va serrer!

Sur le sentier, la neige transformée en glace luisait. Elle alternait avec des passages de pierre qui semblaient noirs. Impossible d'avancer vite sur cette patinoire.

— Faut marcher entre les rails.

Ils essayèrent un moment, mais les paquets de neige accumulés contre les traverses les obligèrent à renoncer. Un pas, ils glissaient, le suivant, ils enfonçaient soudain jusqu'aux genoux. Élodie venait de tomber. Lorsqu'elle se releva, son poignet et sa joue saignaient.

De nouveau, la colère empoigna Cyrille.

— Seigneur, tout ça par ma faute. Je suis maudit. Je suis un maudit chien!

Élodie se retenait de geindre. Chaque pas lui infligeait un supplice. De ses pieds glacés partaient des aiguilles de feu qui montaient jusque dans ses cuisses. Ils durent s'arrêter, la petite trébuchait, chancelait, incapable de suivre.

— Je vais vous faire un feu, proposa Cyrille. Je vous laisserai et j'irai chercher de l'aide.

— Jamais ! Je veux pas que tu nous laisses !

— Vous risquez rien, je reviendrai avec le char à pompe de la gare.

— Non ! hurlaient les trois gosses, t'en va pas. T'en va pas.

Il savait que c'était une faiblesse, mais leurs cris étaient tels qu'il céda.

— C'est bon, je vais prendre aussi la petite.

— Tu pourras jamais.

Boitillant, Élodie repartit sur le sentier, ralentissant à chaque plaque de glace, passant entre les rails lorsque ça lui paraissait plus facile.

Cyrille s'accroupit, posa les deux petits qu'il frictionna vigoureusement dans le dos, puis il installa sa fille à califourchon sur sa nuque.

— Allez, fit-il, t'es un sac de charbon !

Personne n'avait plus la force de rire. Il reprit les garçons sur ses bras et partit en courant. Il avait la chance d'avoir des semelles qui accrochaient bien et des bottes à peu près imperméables. Malgré tout, il sentait le froid gagner ses pieds et imaginait ce que devait endurer sa femme. Il savait également qu'en raison de leur immobilité les enfants risquaient le pire.

Il mit peu de temps à rattraper Élodie. Un long passage s'ouvrait où le sol de terre et de pierre était nu. Posant les enfants, il dit avec autorité :

— Faut essayer de courir un peu. Faut pas vous laisser gagner par le froid. Allez, Clémence, entraîne-les. Force-les à courir.

La petite prit ses frères par la main et les contraignit à marcher.

— Tu vas t'asseoir sur le rail, dit Cyrille à sa femme. Je vais te donner mes bottes.

— T'es fou !

— J'irai pieds nus. Ça me fait rien.

— Même si je voulais, c'est impossible. Elles sont trois fois trop grandes.

— Déchausse-toi tout de même, je vais te frotter.

Elle obéit. Ses pieds étaient violets et déjà blancs par endroits. Cyrille les prit l'un après l'autre dans ses mains et les frictionna vigoureusement. Puis, quittant sa pelisse tandis qu'Élodie se rechaussait, il la lui posa sur les épaules.

— Tiens, t'enlèveras ton manteau trempé. Tu mettras ça. Moi, à porter les gosses, j'ai trop chaud.

— Non, non.

Mais Cyrille partit sans l'attendre. La terrible colère qu'il nourrissait à la fois contre lui et tous ceux qui l'avaient laissé s'installer là lui donnait des forces. Son feu intérieur l'empêchait de sentir les terribles morsures du nordet qui prenait de la gueule.

La forêt surprise par cet arrêt brutal de l'averse et cette saute de vent s'ébrouait en grondant. La lumière plus vive faisait miroiter ce qui restait de neige et de glace. Mais c'était surtout de l'eau qu'on voyait scintiller entre les troncs. Tous les bas-fonds étaient inondés. En bien des endroits, des arbres s'étaient couchés. De grandes épinettes avaient dû tomber sur la voie : on voyait les traces des sabots des chevaux et des bottes des bûcherons qui les avaient dégagées. Des éclaples toutes fraîches étaient entre les rails ainsi que des branches sur le bas-côté. Les troncs avaient été tirés en face et laissés le long de la voie.

217

— Bon Dieu ! grogna Cyrille, ils étaient peut-être encore là y a pas une heure !

Il allait avec sa charge qu'il avait reprise, se retournant souvent pour regarder Élodie qui boitait de plus en plus et s'arrêtait tous les trois pas. Le vent soudain glacial cristallisa les gouttes d'une seule gifle aux brindilles des arbres. La forêt devint sonore et éblouissante. Cyrille posa de nouveau les petits.

— Marchez !

Sa voix était rauque. Courageusement, la petite entraîna ses frères. Cyrille courut vers Élodie qui gémissait :

— Laisse-moi. Sauve les petits.

Presque brutal, il ordonna :

— Relève ta robe.

— Tu es fou.

Il la prit sur ses épaules comme il avait pris la petite. Se redressa et repartit à longs pas. Il était presque étonné de la trouver si légère. Il l'entendait gémir :

— Tu es fou ! Tu vas te tuer.

— J'ai porté plus lourd.

Lorsqu'il rattrapa les enfants, il fléchit les genoux, empoigna le petit Jules qu'il leva en l'air.

— Attrape-le et tiens-le comme tu peux.

Puis, s'accroupissant à demi, il réussit à prendre les deux autres sur ses bras.

— Cramponnez-vous !

Il repartit.

— Me bouchez pas les yeux, bon Dieu !

C'était presque bon, cette charge. Il en sentait la chaleur et la vie sur sa nuque et ses épaules. Ses bras tremblaient un peu mais les reins et les jambes tenaient ferme. Ses dents serrées laissaient à peine passer un grognement :

— Je vous sauverai... je vous sauverai...

Il parvint presque à courir. Sa vue se troublait un peu, mais il sentait qu'il pouvait aller encore longtemps. Il eût sans doute atteint la gare ainsi, mais son pied glissa sur une plaque de glace en dévers. Il fit un effort terrible pour que sa charge ne s'abatte pas sur le rail, mais il ne put éviter la chute. Il jura. Les autres hurlèrent. Il fut le premier debout. Élodie semblait avoir du mal à se relever. Il l'aida. D'une voix brisée, elle supplia :

— Sauve les petits... on viendra m'aider... va... va... laisse-moi.

Au comble de la rage et de la douleur, Cyrille ramassa comme il put ses trois enfants et repartit. Pareil à une bête traquée, le souffle haché, les reins moulus, ses mains glacées crispées sur son fardeau, il allait en fixant cette voie rectiligne dont les lointains dansaient. Sa tête tournait. La forêt était pareille à un grand feu. Les rails se déformaient.

Il manque tomber. Il s'arrête. Est-ce qu'il rêve ? À vingt pas de lui, un cerf vient de quitter le couvert étincelant pour traverser la voie. Clémence cesse de pleurer pour dire :

— Une bête... Elle nous regarde.

Le cerf s'est immobilisé. Très à l'aise, les naseaux fumants, il les observe. Puis, d'un bel élan souple, il disparaît entre les arbres.

— Bon Dieu, pouvoir courir, rage Cyrille.

Il essaie. Il fait trois foulées. Il trébuche. Il rétablit l'équilibre. Il sent la peur des enfants qui s'accrochent. S'étant repris, avant de repartir il se retourne. Élodie n'est plus qu'une petite forme noire immobile, posée contre le rail. Clémence crie :

— Ma maman ! Ma maman !

— Je reviens la chercher.

Cyrille fonce de nouveau. Il lui semble que, dans le trouble de sa vision, il distingue le bâtiment de la station. Il demande :

— Clémence, tu vois la gare ?

De sa voix qui n'a plus de timbre, la petite dit :

— Oui, tout au bout.

Alors, au fond de lui, le père va chercher un reste de force. Il va plus vite. Il chambille comme un ivrogne mais ne s'arrête plus. Les rails, la forêt de cristal, le ciel d'un bleu d'acier, tout bascule, tangue, se mêle.

La gare approche. Est-ce qu'il n'y a pas un homme qui en sort ? Cyrille essaie de crier mais il n'a plus de souffle. La petite aussi tente d'appeler, mais le froid la paralyse.

Alors Cyrille fonce plus vite. Il court. Il trébuche. Il titube jusqu'au quai. Il ouvre la porte du bureau. Il fait un pas dans la chaleur épaisse et s'écroule sur le plancher avec sa charge.

Le chef de gare se précipite.

— Seigneur !

Avant de s'évanouir, Cyrille a le temps de dire :

— Ma femme... sur la voie... Vite... vite...

Troisième Partie

CADIEU

33

Lorsque Cyrille entra dans l'infirmerie, Élodie était assise à la table rectangulaire recouverte d'une toile cirée à carreaux rouges et jaunes, placée devant une fenêtre. Tous les rideaux blancs montés sur tringle pour isoler les malades étaient ouverts. Sur les six lits alignés, seul celui de l'extrême droite était occupé. Une vieille au visage de pomme blette encadré d'un bonnet à dentelles y était assise contre deux gros oreillers. Elle devait guetter l'arrivée de Cyrille qui, chaque soir, venait à peu près à la même heure. Tandis qu'il se dirigeait vers sa femme, la vieille se mit à glapir :

— Te v'là enfin, maudit Labrèche ! C'est pas trop tôt. On croyait que tu viendrais pas ce soir ! J'espère que tu vas empêcher ta pauvre petite femme de s'esquinter pour des profiteurs. Regarde-moi ça, ce qu'ils lui ont amené à faire !

— Taisez-vous donc, cria Élodie. Depuis ce matin vous me bassinez avec vos sornettes.

Cyrille s'approcha de sa femme qu'il embrassa en disant :

— Je suis en retard. C'est que Gendreau a voulu me parler après le travail. J'ai une foutue bonne nouvelle, tu sais.

Comme la vieille continuait à crier, il cria aussi pour la faire taire et demanda :

— Qu'est-ce qu'elle a donc ?

— Rien du tout, je t'expliquerai, dis-moi ta nouvelle.

— Y a un débardeur, un nommé Léveillé, qui devait sortir du bois pour Gendreau. Je sais pas pourquoi, y peut pas pour le moment. Seulement, y prête un attelage de beaux chevaux à Gendreau et c'est moi qui vais faire le travail.

Il rayonnait. Élodie parut déçue. Elle espérait une autre nouvelle. Elle dit :

— Je veux sortir de là.

— Justement, je vais avoir quinze jours payés double. Ça va nous aider. Au lieu d'un dollar et demi par jour, je vais m'en faire trois plus la nourriture. Et je serai au bois avec des chevaux au lieu d'être à cette maudite chaudière.

La vieille qui s'était arrêtée pour tousser et cracher reprit ses cris et Cyrille regarda ce qu'Élodie avait entrepris. Il y avait, sur la table, trois boîtes à biscuits. L'une contenait de la ficelle fine, une autre des capsules de bouteilles à bière et de soda portant encore leur joint de liège, la troisième contenait des capsules sans le liège.

— Qu'est-ce que tu fabriques avec ça ?

— Elle s'use les doigts pour enrichir les plus riches du pays ! brailla la vieille qui se remit à tousser gras et dut se pencher sur le côté pour cracher dans un petit récipient émaillé.

— Tu vois, expliqua Élodie, c'est pas bien compliqué, et c'est pas pénible non plus. C'est pour faire des stores pour l'été. On accroche ça en haut des portes. On peut passer comme on veut et ça empêche les mouches d'entrer.

Avec la pointe d'un couteau, elle sortait les rondelles de liège des capsules et les traversait à deux reprises d'une grosse aiguille pour y passer la ficelle.

— Dis-lui donc combien que tu gagnes, grinça la vieille qui avait retrouvé sa respiration.

— Tu fais ça pour qui ? demanda Cyrille.

— Pour Mme Robillard, elle donne deux...

Cyrille n'en écouta pas davantage, fonçant vers la vieille comme s'il eût voulu l'assommer, il cria :

— Me fous de savoir ce qu'elle gagne. Elle le ferait pour rien, que ça me choquerait pas ! Je veux pas qu'on cause contre ces gens-là. S'ils n'étaient pas là pour nous faire du crédit...

Il fut interrompu par le rire de crécelle qui secouait le bonnet de dentelle :

— Gueule tant que tu peux, Labrèche ! Tu me fais pas peur. Tout le monde te craint parce que t'es fou. Moi, les fous, je les redoute point. T'as que de la gueule. Tout malin que tu es, tu te fais empaumer. Tu chauffes la chaudière de Gendreau pour une misère. Ta femme se fait avoir. Les Robillard, c'est des malins. Le crédit, c'est le meilleur moyen de s'enrichir. Si y faisaient pas de crédit, tous les colons foutraient le camp et ces gens-là n'auraient plus qu'à fermer boutique.

Impuissant devant ce torrent, Cyrille s'était arrêté à mi-parcours.

— Viens ici, dit Élodie. Laisse-la brailler. C'est toute la journée comme ça. Depuis trois jours qu'elle est là, c'est à virer folle. Et depuis ce matin que le petit Max m'a apporté ce travail, c'est le même refrain.

La vieille fut de nouveau interrompue par une toux grasse.

— Elle s'arrête de crier que pour cracher. Je veux plus rester ici. Le docteur dit que je peux m'en aller si on me trouve un endroit bien chaud.

— Bon Dieu, fit Cyrille, meurtri qu'on lui ait rabattu sa joie, où veux-tu aller ? On n'a plus rien. On est plus pauvres que des souris d'église. Faut attendre que je revienne du bois. Si ça marche bien, y sauront ce que je vaux comme charretier. J'aurai sûrement de l'embauche mieux payée.

Élodie était pâle, avec des joues creuses et de grands cernes bleus sous les yeux. Elle regarda son homme un moment d'un air implorant. On ne percevait plus que le souffle rocailleux de la vieille à bout de forces. À mi-voix, avec, dans le regard, déjà la peur de la réponse qu'elle redoutait, Élodie finit par dire :

— On va s'en retourner. On peut aller chez mes parents. Tu sais bien qu'ils nous logeront. Je veux retrouver mes petits...

Cyrille se raidit. Son menton se mit à trembler, son regard se durcit et le débit devint saccadé :

— Jamais de la vie !... Faut pas me parler de ça. Je vais trouver à nous loger. Ça te fait plus que deux semaines à attendre. Dès que je reviens du bois, je trouverai. C'est promis.

Il s'était légèrement apaisé en parlant. Timidement, Élodie murmura encore :

— Je veux être avec mes petits...

— Y viennent te voir tous les jours. T'as pas à te plaindre. Y sont très bien chez Garde Soumandre. Quand elle est pas là, c'est sa mère qui s'en charge. Tu la connais, c'est une brave grand-mère. Moi, je vais être deux semaines sans les voir.

— Deux semaines. Et moi je te verrai pas non plus.. Deux semaines dans le bois. Je veux pas. J'ai peur du bois...

Ayant retrouvé son souffle, la vieille se remit à crier :

— Laisse ta femme ici, Labrèche ! Tu lui as déjà fait couper les pieds...

— Taisez-vous, lança Élodie. Je vous les ai montrés, mes pieds...

La voix aigre de la vieille couvrit la sienne :

— Justement. Je les ai vus. On t'a coupé des orteils. Si t'as froid, on te coupera aux chevilles, puis aux genoux.

Elle se mit à débiter des histoires qu'ils auraient voulu ne pas entendre mais qu'ils écoutaient tout de même parce qu'elles tenaient à la nature même de ce pays. Elle avait vu beaucoup de gens aux membres gelés. D'autres étaient restés en forêt. On avait retrouvé au printemps des lambeaux de leurs vêtements. Elle revenait toujours à sa propre vie qui semblait commencer en 1915, lorsqu'elle était arrivée avec sa fille et son gendre qui voulait faire de la terre. Son gendre avait eu un pied écrasé par un arbre. Incapable de travailler la terre, il avait tenté d'ouvrir un commerce. Et la vieille retrouvait sa colère toute vive pour brailler :

— T'essaieras, toi, le malin des malins, de vendre des nouilles ou des clous dans ce foutu pays. Y a que les Robillard. Ceux-là, ils ont su y faire. Ils ont su prendre la place avant que les autres arrivent.

Cyrille allait répliquer, mais Élodie lui saisit le poignet.

— Laisse-la piailler, va. Tu vois bien que c'est pas tenable, ici, toute la journée.

Elle se leva en s'appuyant à la table et prit ses deux cannes accrochées au dossier de sa chaise. Cyrille voulut l'aider. Elle refusa :

— Non. Le docteur m'a encore répété qu'il faut que je m'habitue.

La vieille glapissait :

— Tu l'as bien arrangée, ta petite femme !

Ils gagnèrent lentement le fond de la pièce où Élodie s'allongea sur son lit. Cyrille tira les rideaux tandis que la femme ricanait.

— C'est ça, cachez-vous. Faites encore un petit, ça en fera un de plus à la charité publique !

— Elle parle même en dormant, dit Élodie. C'est un moulin. Je te jure que je peux plus rester.

— Je vais trouver. Je te promets de trouver.

Comme chaque soir depuis que sa femme allait mieux, Cyrille s'approcha du lit et essaya de la caresser. Élodie se défendait.

— Non. Je veux pas.

— Pourquoi ?

— Pas ici.

— Mais je vais m'en aller deux semaines.

— C'est pas ma faute. Je veux pas que tu partes.

— À cette heure-là y vient jamais personne.

— Je veux pas risquer d'être encore enceinte.

— Si on habite quelque part, tu voudras plus ?

— C'est pas pareil.

— Qu'est-ce qui est pas pareil ?

Ses mains insistaient. Il se faisait suppliant. Puis rageur.

— Tu me détestes. Tu m'en veux. Tout ça est de ma faute. Je serais resté avec les autres...

— Recommence pas toujours avec ça. On s'en est bien tirés, tu sais. Le docteur me l'a encore dit aujourd'hui. On pouvait tous y rester. Nous deux et les petits.

Ils demeurèrent silencieux et immobiles. Elle recroquevillée sur son lit, lui assis sur une chaise. Posées sur la courtepointe bariolée, leurs mains s'étreignaient. Celles de Cyrille pareilles à deux grosses bêtes aux instincts malfaisants, celles d'Élodie, frêles et pâles, crispées sur ces fauves osseux et musclés qu'elles maintenaient prisonniers. Un long moment passa. À l'autre bout de la pièce, la vieille ronflait. On eût dit que chaque respiration était la

228

dernière. Elle avait, dans la manière d'aspirer l'air, des à-coups inquiétants.

— Ce matin, dit Élodie, elle a demandé à Garde Soumandre qu'elle me fasse coucher dans le lit près du sien. J'ai pas voulu. La garde m'a dit que j'étais pas charitable.

— T'as raison. Elle est pas endurable, cette folle !

— Si elle crachait pas tant, ça me ferait rien d'être près d'elle. Seulement, elle me lève le cœur. À midi, j'ai rien pu manger.

— On va s'en sortir, dit Cyrille. Quand je reviendrai, je suis sûr qu'on me prendra comme charretier. Ici, on peut pas dire que la crise nous ait trop couru après. À Montréal, paraît que ça s'arrange pas, tu sais. C'est de pire en pire.

Il n'y avait, pour éclairer cette longue pièce peinte en blanc, qu'une grosse lampe à pétrole suspendue au-dessus de la table. Sa lueur tamisée par les rideaux amollissait le contour des visages. Tout était d'un gris terne, à peine orangé, qui donnait envie de silence et de calme. Envie de s'endormir au chaud sans penser à rien. La vieille se mit à grommeler dans son sommeil. Élodie murmura :

— C'est vrai qu'elle en a arraché toute sa vie. Ses enfants pareil. Lui, c'est au bois qu'il a eu son accident. Ça me fait peur de te voir repartir. Y t'arriverait quelque chose, je le saurais même pas.

— Avec des chevaux, y peut rien m'arriver.

— Si t'as une jambe écrasée, c'est pas eux qui vont te ramener.

— C'est un bois où y a d'autres débardeurs.

— T'es sûr ?

— Certain.

Un moment passa encore, tout plein de l'étreinte de

leurs regards. Cyrille essaya encore de porter ses mains vers la poitrine de sa femme qui résista en implorant :

— Je t'en prie. C'est un pays de chiens. Faut partir avant un plus grand malheur.

Il se leva lentement. Elle garda ses mains dans les siennes, s'assit au bord du lit puis, se levant à son tour, elle se colla à lui pour l'embrasser. Comme il cherchait encore à la caresser, elle le poussa vers le rideau qu'elle ouvrit en disant :

— Viens, on va s'asseoir près de la table.

— Non. Faut que je passe voir les petits.

Avant de le lâcher, elle soupira encore :

— Tu vas nous emmener, hein ?

— Quand je reviendrai du bois, on sera tous réunis. Je te le jure.

Elle se rassit sur le bord du lit et dit :

— Deux semaines, c'est long.

Un peu agacé, Cyrille dit avec vigueur :

— T'as le père Levé qui passe te voir tous les jours. Puis d'autres gens aussi. Et puis dimanche, ceux du rang trois vont venir après la messe. Y viennent chaque fois, tu sais bien.

Cyrille ne pouvait s'empêcher de penser à Charlotte Garneau et à cette force qu'elle avait en elle.

Il y eut entre eux un long échange muet. Un silence où passaient des appels et des refus. Presque malgré lui, Cyrille répéta :

— Faut que je passe voir les petits, je pourrai pas leur dire au revoir demain. Y seront pas levés à l'heure où je partirai.

Sur un ton qui cachait mal son angoisse, Élodie souffla :

— Au bois, fais bien attention.

Il s'éloigna d'un pas, se retourna. Deux larmes roulaient sur les joues d'Élodie qui s'efforça de sourire pour demander :

— Tu veux remettre du bois au feu... Fais pas trop de bruit, que la vieille se réveille pas. C'est tellement mieux, quand elle dort.

34

Eₙ deux journées de ce nouveau métier, Cyrille en avait découvert à peu près toutes les ficelles. Pour un homme qui savait évaluer très exactement les possibilités de ses chevaux, qui pouvait, d'un seul regard, découvrir entre les souches le passage le plus aisé, c'était une besogne très excitante. Il y avait, à la mener en ménageant l'attelage sans perdre de temps, une espèce de combat dont chaque instant était plein d'intérêt, dont chaque détour conduisait à une découverte. Cyrille lorgnait souvent vers le ciel qui restait sans une ride et tirait des nudités nordiques un beau froid de plus en plus dur. Et le charretier disait à Tom et à Sam :

— Faut y aller, mes petits. On a le temps avec nous. Y viendrait de la neige ou un coup de redoux, ce serait moins facile.

Et les deux bêtes forçaient de la croupe et du collier, muscles roulant sous le poil luisant, naseaux fumants. Tom menait le train, son compagnon suivait, hochant la tête comme pour dire oui à tout. Avec eux, pas une seule fois Cyrille n'avait eu à élever la voix. Par précaution, en quittant l'écurie, il avait décroché un des fouets pendus derrière la porte, mais il l'avait posé dans la cabane de coupe, en arrivant, et ne l'avait jamais repris.

Très vite, ce quartier de forêt où ils œuvraient avait changé d'aspect. La vaste clairière toute blanche le premier jour était à présent parcourue de sentes noires et vertes où pointaient des roches. La terre, les herbes et les mousses étaient blessées aux endroits où les troncs tirés avaient forcé ou viré un peu court entre les souches. Sur la glace de l'Harricana, les longues grumes rousses ou grises s'alignaient. Au printemps, les eaux les porteraient jusqu'au moulin à scie. Trois fois par jour, Cyrille conduisait ses chevaux à l'endroit où il avait creusé à la pioche pour leur permettre de boire. Chaque fois, la glace s'étant reformée en mince couche, il devait la casser de nouveau. Chaque fois aussi, avec son couteau de poche, il hachait de la paille. Et, tandis qu'il s'accroupissait pour mettre les brins coupés sur l'eau glacée, Tom le poussait de son gros nez. Et, chaque fois il répétait la même chose avec un bon rire plein d'amitié.

— Minute, mon gros. T'es trop pressé. Oui, oui, je sais, t'aimes pas ça. Ça te pique le nez. Ben mon vieux, c'est pour ton bien. Ça t'empêche de boire trop vite.

Plus distant, Sam attendait calmement et laissait toujours Tom s'abreuver le premier.

Cyrille s'entendait parfaitement avec ces deux bêtes splendides, sans malice aucune et bien habituées au débardage. Ils avaient marché deux bonnes heures pour atteindre cette coupe en amont de Saint-Georges. Une cabane de bûcheron pour Cyrille, un toit de fascines et des bâches tenaient lieu d'écurie. C'était l'isolement parfait. Beaucoup plus haut, sur l'autre rive, des hommes devaient abattre. Parfois, tandis que ses bêtes buvaient, Cyrille entendait claquer les cognées.

Le jeudi de la deuxième semaine, vers le milieu de la matinée, Cyrille passait sa chaîne sous un beau fût de sapin baumier lorsqu'il se redressa soudain pour tendre l'oreille. Un curieux bruit approchait. Un bruit qui n'était pas de la forêt. Les chevaux aussi l'avaient perçu. Immobiles, l'oreille frémissante, ils cessèrent de mâchouiller leur mors. C'était une pétarade de moteur. Cyrille pensa un instant à l'avion de la poste qui aurait pu s'égarer ou se trouver en difficulté, mais l'avion ronronnait. Ce qui approchait était plus heurté. Une succession de fortes explosions qui hachaient le silence.

Cyrille passa à côté de ses bêtes en leur tapotant les flancs et en disant :

— Restez là. Je reviens tout de suite.

Enjambant les troncs et les souches, il gagna rapidement le chemin par lequel il était venu. Comme ce layon était rectiligne, il aperçut, très loin, une espèce de chose noire d'où montait un peu de fumée. Un insecte cahotant qui avançait assez vite.

— Bon Dieu, grogna-t-il, un tracteur. Qu'est-ce qu'il vient foutre là ?

Sans qu'il sût exactement pourquoi, quelque chose venait de se serrer en lui. Peut-être tout simplement à cause de cette rupture d'harmonie, de cette plaie ouverte dans le calme du jour si limpide.

Comme ses chevaux montraient de l'inquiétude, il alla les chercher pour les conduire dans leur appentis, les attacha et les couvrit. Puis, leur ayant répété qu'il allait revenir, il regagna le chemin et s'en fut à la rencontre de la pétarade. Il avait déjà vu des tracteurs sur le port de Montréal, mais la venue de cet engin ici était tellement inattendue que Cyrille en était tout remué. Il avançait, s'arrêtait, hésitait comme s'il eût été tenté de faire demi-tour.

À mesure que la machine approchait, il sentait l'air trépider. À l'avant, un tuyau vertical crachait bleu. Cyrille le fixait, puis regardait une tête et des épaules qui cahotaient. Lorsque l'engin arriva à quelques mètres, le charretier se porta sur le côté. Le bruit était infernal. Au crachement rauque du moteur s'ajoutait un brinquebalement de ferraille venant de partout, comme si les profondeurs de la forêt eussent soudain engendré une nuée de moteurs. Il y eut plusieurs craquements, un grincement et le monstre s'arrêta. Son moteur continua de battre, mais au ralenti, avec quelques tressautements curieux. L'homme qui était assis derrière un volant de métal cria :

— C'est toi, Labrèche ?

Cyrille s'avança.

— Oui, c'est moi.

— Je suis Léveillé. T'as bien soigné mes chevaux ?

Cyrille se sentit soudain saisi à la fois d'orgueil et de jalousie. Est-ce que cet homme ne venait pas lui reprendre les bêtes ?

— Certain, que j'en prends soin. Tu peux dire que t'as de sacrés bêtes.

L'homme allongea son bras droit et manœuvra un levier. Il y eut un grincement à vous briser les dents, le moteur hurla, tout se mit à trembler et l'engin s'ébranla. Cyrille regarda passer devant lui ses deux roues avant serrées l'une contre l'autre, le capot peint en bleu sous lequel grondait la mécanique, les roues arrière aux bandages larges d'au moins douze pouces. Dans leur ferraille étaient rivées d'énormes dents également métalliques qui mordaient le sol. Derrière, était accrochée une remorque portant trois gros tonneaux de métal, une caisse pleine de chaînes et d'outillage et une plus petite dont le couvercle était fermé. Cyrille tremblait. Sa tête était en feu. D'un pas machinal, il suivit. C'était comme si le monde se fût soudain ouvert devant lui. Il allait vers un gouffre sans rien savoir du chemin. Sans oser se dire quoi que ce soit. Son œil restait rivé à cette forme engoncée, ce dos surmonté d'une grosse tuque grise qui tressautait devant lui.

Quand la machine s'arrêta à hauteur de la baraque, ce fut soudain un vide étonnant. Le silence n'était plus rien. Il n'existait plus. Les oreilles blessées ne percevaient plus aucun des mille bruits qui font l'habituel silence de la forêt. L'oreille les cherchait en vain.

L'homme sauta de son siège rond recouvert de sacs qu'une ficelle maintenait en place. Il vint vers l'arrière et prit la caisse dont le couvercle était fermé. Il dit en riant :

— Ce truc-là, ça te secoue les boyaux. J'ai une faim de loup. Ma femme m'a préparé pour deux. On s'est dit que ça te changerait.

Il était à peu près de la taille de Cyrille, mais plus rond, avec un visage tout dévoré de barbe noire. Il se dirigea vers la baraque dont la cheminée fumait. Cyrille le suivit, toujours aussi vide de toute pensée. L'homme entra en disant :

— Ce sera vite réchauffé.

Sans avoir rien préparé, Cyrille demanda :

— Alors, ce truc-là, c'est pour débarder ?

Léveillé eut un sourire qui fit luire ses dents bien blanches dans l'ombre de sa barbe.

— C'est sûr, fit-il. Tu penses pas que je l'ai amené jusqu'ici pour te le montrer.

— Avec des chevaux comme les tiens, qu'est-ce que t'as besoin de ça ?

— Les chevaux, il en faudrait beaucoup. Avec des hommes pour les mener. C'est ça qui coûte le plus. Un cheval, ça mange tous les jours, un tracteur, ça boit seulement quand ça travaille.

Cyrille eut un ricanement :

— Ça, tu l'as pas inventé. Je l'ai lu l'an dernier sur une publicité.

L'autre eut un haussement d'épaules. Il avait posé sur le poêle deux gamelles de soldat. Très vite, il en monta une buée dont l'odeur forte emplit la baraque. Il remua dedans avec son couteau et dit :

— C'est du bœuf. C'est ma femme qui l'a préparé. Elle connaît des tas de trucs que sa mère lui a refilés pour donner goût à la viande.

Le charretier eut un instant envie d'envoyer paître cet homme avec sa si bonne viande et ses sales idées de modernisme ; cette vérole qui s'en venait empoisonner les forêts ! Il réussit à se contenir. Cent questions se bousculaient que Cyrille ne se décidait pas à poser : est-ce que cet homme comptait débarder uniquement au tracteur ? Que ferait-il de ses chevaux ? Est-ce que d'autres débardeurs avaient aussi opté pour la mécanisation ?

Une espèce de peur de ce qu'il risquait de découvrir muselait Cyrille. C'était peut-être la peur de sa réaction qui empêchait l'autre d'en dire davantage. De chaque côté de la petite table faite de deux planches brutes de scie clouées sur des piquets, ils mangèrent un moment sans parler. La viande bien brune et les pommes de terre cuites dans le jus onctueux étaient moelleuses et savoureuses. Léveillé avait également apporté de la bière qui avait un bon goût amer. Le débardeur hésita un bon moment avant de dire à Cyrille :

— Tout de même, ce curé du rang trois, il aura pas tenu bien longtemps.

— Un maboul pareil...

— Y paraît que tu t'étais attrapé avec lui ?

Léveillé avait calculé juste. Cyrille saisit à pleines mains la perche qu'il lui tendait. Toute sa colère contre les tracteurs passa sur l'échine du père Gauzon dont il avait appris le départ. Puis, voyant sourire l'homme au tracteur, il sentit qu'il s'était un peu laissé rouler. Cessant soudain de raconter ses démêlés avec ce prêtre, il lança :

— Puis je m'en fous. Paraît qu'il a foutu le camp tout de suite après Noël. Les autres sont venus me le raconter à l'infirmerie. Je leur ai dit : bon débarras, mais moi, ça me concerne plus.

Il essuya son couteau entre son pouce et son index et le referma avec soin, sans faire claquer la lame. Il vida son verre de bière, ralluma son mégot et reprit :

— Leur terre, y peuvent se la foutre au cul. Ce qui m'intéresse, moi, c'est de mener des chevaux. Et même, si je trouvais à m'embaucher dans une coupe, ça me tente davantage que la terre.

Ils parlèrent un moment de la forêt, puis, inévitablement, ils en revinrent à la question des tracteurs. Léveillé raconta qu'en 1917, il s'était engagé pour aller se battre en France. C'est là qu'il avait vu, pour la première fois, travailler un énorme tracteur à vapeur amené par les Américains pour tirer des pièces d'artillerie. De retour au pays, il en avait vu de plus petits sur le carreau des mines et dans les plaines de Saskatchewan, des engins à pétrole comme le sien.

— Tu l'as depuis longtemps ? demanda Cyrille.

— Je viens d'aller le chercher à Cochrane. Je suis revenu avec par le train de mardi. Même qu'à Saint-Georges, on s'en est vu pour le descendre de la plate-forme. À la gare, ils avaient jamais vu ça.

Il parlait de cette machine avec fierté

— Ça doit pas être donné, fit Cyrille.

— C'est une bonne occasion. Ça fait quinze ans que j'en avais envie. J'avais beau trimer, j'avais jamais assez de sous. Mais là, j'ai eu deux coups de chance en même temps : ce tracteur, et un maquignon pour me prendre mes bêtes.

Pas certain d'avoir bien compris, bégayant un peu, Cyrille demanda :

— Quoi ? t'aurais vendu tes chevaux pour...

Comme il cherchait ses mots, l'autre que son regard effrayait un peu se hâta de dire :

— Pas les deux que tu mènes. Ceux-là, je les garde. M'en faudra toujours pour les places où le tracteur peut pas se rendre. (Il se mit à rire.) T'inquiète pas. Je vais pas te prendre ton travail. J'avais promis à Gendreau pour cette date, je pouvais pas prévoir que je serais obligé d'aller à Cochrane. Il a pas voulu attendre, j'ai dit : je te loue les bêtes, tu paies le charretier.

Il se dirigea vers l'appentis. Le sentant venir, Tom lança un hennissement. L'homme lui parla. Puis il alla les flatter tous les deux et leur examiner la gueule puis les pieds. Cyrille était derrière lui. Il fixait sa tuque de laine avec une terrible envie de prendre une masse et de cogner. L'homme se tourna vers lui et dit :

— T'es un bon charretier. Suffit de voir les bêtes pour s'en rendre compte.

Alors qu'il venait de résister à une terrible envie de tuer, Cyrille se sentait à présent envahi par une onde de bonheur.

— Bon Dieu, soupira-t-il, les chevaux, c'est quelque chose !

Le regard du barbu changea soudain. Il parut chercher en lui, puis il dit :

— Si des fois j'ai besoin d'aide, je te demanderai. Mais tu sais, c'est jamais pour longtemps. C'est pas du régulier, chez moi.

Cyrille venait d'oublier le tracteur qui allait prendre la place de plusieurs chevaux et finirait peut-être par les chasser tous. L'envie était en lui de remercier cet homme, mais sa gorge nouée retenait les mots.

Il aida le débardeur à détacher sa remorque, puis à placer les chaînes sur l'arrière de sa machine. Le faisant, il éprouvait le sentiment de trahir le cheval. Et pourtant, chez cet homme, quelque chose forçait à la sympathie.

Quand l'engin démarra, il hésita un peu, puis le suivit de loin.

— La glace, est-ce que ça va tenir, avec un machin pareil ?

Il y avait en lui un sentiment trouble qu'il n'osait regarder vraiment.

Il observa Léveillé qui fixait ses chaînes. Le tracteur démarra, cahota sur les souches.

— Ça va verser, bon Dieu !

Toujours le sentiment trouble. Les poings serrés. Les mâchoires crispées. Le cœur battant aussi fort que ce foutu moteur.

L'engin s'en alla vers la rivière plus vite que ne l'eût fait n'importe quel attelage. Il décrivit une courbe sur la glace que les canines de ses roues marquaient profondément et vint allonger sa bille contre la rive. Tandis que le moteur au ralenti continuait de tourner, Cyrille revint vers ses bêtes. Quelque chose venait de se déchirer en lui. Se bouchant une narine du pouce, il se moucha avec rage. Il fit encore deux pas. La forêt et la baraque avec la remorque aux trois fûts étaient troubles. D'un geste agacé, Cyrille enleva sa mitaine et s'essuya les yeux d'un revers de main.

35

DEPUIS la vapeur, depuis l'électricité et le moteur à explosion, le cheval reculait. C'était la lutte partout. On avait vu longtemps, dans les immenses plaines à blé, des moissonneuses-batteuses monstrueuses tirées par vingt-cinq ou trente bêtes splendides. Perché très haut sur un siège où il accédait par une véritable échelle fixe, un homme plein de fierté les menait. Avec pareil attelage, il pouvait faire passer sa machine au pouce près. Il en allait de même pour les grands labours. Et c'était un spectacle merveilleux que l'ondoiement des croupes noires, blanches ou pommelées perdues dans la marée dorée des moissons ou le déferlement brun des sillons. Peu à peu, pour les labours, étaient apparus les monstres à vapeur qui crachaient noir par leur énorme cheminée ; leurs roues aux dents de métal leur permettaient d'arracher des charrues à dix socs. Mais ils portaient trop de feu en leur ventre, ils crachaient trop de brandons pour qu'il fût question de les lâcher dans les blés mûrs. Bientôt, le moteur avait remplacé le foyer et la chaudière, éliminant le risque d'incendie. Et la lutte était devenue inégale. Alors, on avait vu les hommes des campagnes se diviser en deux camps. Les uns tenaient à leur cavalerie. Ils savaient que la terre a besoin de fumier et qu'elle s'accommode mieux de la souplesse des bêtes que de la rigidité du métal. D'autres, et surtout les plus jeunes, ne croyaient qu'au progrès. Ils voulaient violer le silence des immensités. Ils prétendaient que seule la machine pouvait permettre d'agrandir suffisamment les terres pour suivre le rythme de croissance des populations. Il y a chaque jour davantage de bouches à nourrir, il faudra toujours plus de terre. Ils s'étaient attaqués à la forêt avec leurs engins qui bousculaient les arbres et arrachaient les souches. Et les vieux leur avaient prédit le pire. L'étouffement par trop de biens. La mort des terres retournées en profondeur et mal nourries.

Des centaines de chevaux en pleine force avaient pris le chemin de l'abattoir. Il y avait eu bien des drames. Des vieux avaient tempêté et pleuré, des jeunes aussi qui aimaient les bêtes et pensaient que rien jamais ne remplacerait cette amitié.

Puis la grande crise était venue. Le blé avait commencé de germer dans les greniers, sur le quai des gares et des ports. Faute d'argent, le carburant avait manqué pour les tracteurs. Lorsque la sécheresse s'était ajoutée aux misères déjà grandes, on avait vu les fermiers des plaines s'en aller à pied en abandonnant toute leur machinerie inutile. Ceux qui avaient gardé un cheval pouvaient au moins emmener un peu de leur avoir sur une charrette où ils dormaient sous la bâche.

Dans les villes, le camion et l'automobile avaient remplacé de nombreux chevaux, mais il en restait encore pour des besognes dont beaucoup se disaient que, peut-être, il demeurait un espoir qu'aucune machine ne sache jamais les accomplir.

C'était seulement dans la petite culture, sur les rangs de colonisation, dans les lots isolés entourés de forêt, dans la forêt elle-même que le cheval et les bœufs restaient les maîtres. Car les animaux de trait valaient encore moins cher que les machines et l'herbe pour les nourrir ne coûtait que la peine de la faucher, de la faner et de l'engranger pour l'hiver. Ceux qui vivaient loin des grandes villes et des vastes plaines continuaient de croire en leurs bêtes tant que le tracteur ne venait pas jusqu'à eux. Tant que la machine infernale ne poussait pas sa respiration de feu jusque sur leurs terres.

Ce qui avait longtemps préservé le Royaume du Nord de la mécanique, c'était l'absence de routes le reliant au reste du pays, mais très vite, avec ses wagons à plate-forme, le train s'était mis à charrier des automobiles, des moteurs de toutes sortes et même d'énormes tracteurs.

On avait vu arriver des automobiles qui allaient se trouver prisonnières d'une ville. Dès qu'elles voudraient s'en éloigner, elles buteraient du nez contre la forêt.

Il y eut même, à Saint-Georges-d'Harricana, un original qui réussit à construire une espèce de snow-mobile. C'était un engin effrayant qui tenait à la fois de l'auto, du traîneau et de l'avion avec son moteur grondant sous un capot de tôle, ses patins en métal, son volant de direction et, placée derrière le siège du conducteur, une énorme hélice de propulsion qui soulevait des tornades de neige. Cet engin-là ne prit la place d'aucun cheval, mais il en terrorisa pas mal, et les charretiers maudissaient son inventeur.

Les Indiens qui venaient s'approvisionner à la ville, les trappeurs, les coureurs de bois et bon nombre de personnes d'âge hochaient la tête en affirmant que l'homme avait, en inventant le moteur, mis fin à un monde que rien jamais ne remplacerait.

— À force de vouloir toujours aller plus vite, c'est sa propre mort que ce monde fou finira par rattraper.

36

CYRILLE Labrèche besogna encore trois journées
pleines et une longue matinée à débarder. À cinq
cents pas de son chantier était celui du tracteur dont le
vacarme emplissait la forêt. Cyrille avait essayé de
l'oublier, mais son esprit s'était fixé sur ce bruit. Il en
guettait les moindres fluctuations. Chaque fois que la
pétarade marquait une hésitation, l'espoir l'emplissait de
l'entendre se briser soudain pour ne plus repartir. Il ne
pouvait s'empêcher de l'imaginer en panne et ramené à
Saint-Georges par Tom et Sam. Mais la mécanique tenait.
Elle ne s'arrêtait que le soir, quand son conducteur venait
retrouver Cyrille. Non seulement elle tenait, mais elle
accomplissait à peu près trois fois plus de travail que les
chevaux. Cyrille l'avait constaté dès les premières heures,
mais il aimait trop ses bêtes pour engager une course
stupide qui les eût épuisées en vain.

Avec Léveillé, ils avaient décidé de mettre leurs vivres
en commun. Ils cuisinaient et prenaient leurs repas
ensemble. Même s'il détestait l'engin dont cet homme se
servait, l'ancien charbonnier était bien obligé de reconnaî-
tre qu'en matière de débardage, Léveillé était d'une belle
force. Du respect mutuel que les deux hommes se portaient, commença vite à naître un sentiment de sympathie.

Chaque soir, sans colère, ils reprenaient la même discussion sur les chevaux et les tracteurs. Léveillé aussi aimait les bêtes. Il allait les voir avec Cyrille sous leur appentis, avant de se coucher, s'assurant qu'elles étaient bien. Il leur parlait comme seuls peuvent parler à des chevaux les hommes qui ont lié amitié avec eux. Seulement, Léveillé était débardeur. Il voulait mener son affaire le mieux et le plus vite possible. Il parlait de l'exploitation des forêts dans le futur comme si on lui eût donné tout le Royaume du Nord à déplacer en grumes pour des milliers de moulins à scie et d'usines à papier.

Cependant, lorsqu'il voyait s'allonger le nez de son interlocuteur et ses sourcils se mettre en accent circonflexe, il ne manquait jamais de répéter :

— T'en fais pas, c'est pas pour demain. Dans les cultures d'ici, on en restera toujours aux bœufs et aux chevaux. Et même pour la forêt, tous les gars feront comme moi, ils garderont au moins une belle couple pour les endroits où le tracteur pourra pas se rendre.

Alors, ils en venaient invariablement à évoquer des moments héroïques vécus avec leurs bêtes. Chaque soir, la veillée se terminait, entre ce conducteur et ce charretier, par la glorification du cheval. Et Cyrille se disait que cet homme-là devait tout de même être un peu moins bon charretier que lui.

Il en eut la confirmation le quatrième jour, vers les midi, lorsque le voyant préparer Tom et Sam pour le départ, Léveillé lui dit :

— Tu les ramènes à l'écurie, mon beau-père y sera sûrement encore. Sinon, tu sais aussi bien que moi ce qu'il faut faire.

Ils se serrèrent la main solidement, puis Léveillé ajouta :

— En tout cas, je peux te dire une chose : je t'ai bien

regardé travailler, ces bêtes-là, elles ont jamais été souples avec moi comme elles sont avec toi.

Cyrille s'en alla et ces mots éclairèrent le début de sa marche. Cependant, à mesure qu'il approchait de Saint-Georges, il sentait avec tristesse venir l'heure où il devrait abandonner les chevaux. Il avait très vite retrouvé le silence de la forêt. La pétarade était restée derrière lui, effacée par le craquement sous les sabots, le cliquetis des brides et le tintement des grelots. Tout cela composait un beau bruit qui ne blessait pas la chanson du vent dans les arbres. Il ne restait du tracteur que la trace de ses roues encore visible sur le chemin. Il avait, en maints endroits, écrasé des broussailles et même de petites épinettes. Avec amitié, Cyrille disait aux chevaux :

— Votre patron, mes beaux, il a de la folie dans la tête. C'est un bon gars, mais il a de la folie. Sûr qu'y viendra me trouver pour vous mener. Lui, à présent, y a plus que sa mécanique qui compte.

Arrivé à Saint-Georges, il s'en fut tout de suite à l'écurie où le vieillard qu'il avait aperçu en prenant les bêtes vint lui demander si son gendre s'en tirait avec son fourbi. Ils parlèrent des chevaux en hommes qui leur avaient voué leur vie. Le vieux pestait contre les moteurs, et Cyrille fut tout surpris de s'entendre dire pour la défense de Léveillé :

— Que voulez-vous, c'est son idée, c'est pas la nôtre.

Il bouchonna Tom et Sam, leur donna large ration de fourrage, les flatta un moment en leur disant au revoir. Puis, laissant le vieux regagner sa baraque en grognant, il fila vers l'infirmerie.

Quand il y entra, c'était l'heure du repas. Un homme d'une cinquantaine d'années mangeait seul à la table où, d'habitude, se tenait Élodie. L'homme portait un énorme pansement à un pied et sa jambe était allongée sur un tabouret. Cyrille n'eut pas le temps d'ouvrir la bouche

que, de son lit où elle mangeait aussi, la vieille bronchi-
teuse se mit à brailler :

— T'es allé courir au bois, mon pauvre Labrèche ! Ben
ta femme est partie avec tes petits. Partie à Montréal. Elle
en avait assez...

La porte qui donnait accès à la salle de soins s'ouvrit et
Garde Soumandre parut. C'était une grande fille sèche
d'une trentaine d'années, avec un visage long et osseux.
Autoritaire, elle lança :

— Taisez-vous, grand-mère ! Vous allez renverser
votre bol encore une fois.

La vieille changea de registre. Ses imprécations devin-
rent un grommellement continu. Garde s'approcha de
Cyrille et dit :

— C'est vrai, mon pauvre Labrèche, ils sont partis.
Mais personne n'y pouvait rien. Votre femme était à bout
de forces...

Un moment assommé par la nouvelle, Cyrille explosa :

— Nom de Dieu ! hurla-t-il. Fallait me prévenir. Saloperie de mille dieux...

L'infirmière lui empoigna le bras. Sa main était dure.
Cette femme avait la force d'un homme solide.

— Taisez-vous, lança-t-elle en montrant le crucifix de
bois et de cuivre accroché au-dessus de la porte par
laquelle elle venait d'entrer. Je vous interdis de jurer le
nom de Dieu ici. Vous n'êtes pas dans votre écurie,
Labrèche ! Tout le monde vous aime bien. Tout le monde
a tout fait pour vous aider malgré votre foutu caractère,
mais si vous venez ici pour insulter Dieu, je ne vous
laisserai pas faire.

Elle le lâcha. Il y eut un instant avec juste le grommellement ininterrompu de la vieille, puis, d'une voix plus
calme, l'infirmière dit :

— Jamais le gouvernement n'aurait dû faire venir les

femmes et les enfants avant que les maisons soient montées. D'autres repartiront. C'est fatal. Et toutes reviendront quand il y aura de quoi se loger. La vôtre comme les autres. Elle l'a promis.

Cyrille ne savait plus quoi faire. Tout semblait s'écrouler soudain. Tout se mêlait dans sa tête : la fin des chevaux et le départ d'Élodie. Hébété, il répéta :

— Elle a promis.

Lui prenant le bras doucement, l'infirmière dit :

— Oui, elle a promis devant moi. À monsieur le curé et à Charlotte Garneau. Les petits, ma mère pouvait encore les garder, mais votre femme, vous comprenez...

Le fait qu'elle eut parlé des enfants fut comme une morsure pour Cyrille. Il les revit, le dernier soir, lui grimpant après lorsqu'il était entré chez la garde où ils mangeaient une bonne soupe de fèves. Il revit sa fille pleurant en apprenant qu'il partait au bois et qu'elle serait deux semaines sans le voir. Soudain, sa douleur se transforma en colère. Le visage tiraillé par ses muscles qu'on voyait trépider sous la peau, l'œil en feu, il lança :

— M'en vas les chercher, sacrebleu ! On verra bien qui c'est qui est le maître !

Sans que Garde Soumandre pût rien tenter pour le retenir, il sortit en claquant la porte qui vibra très fort derrière lui.

37

CYRILLE partit, tempêtant et gesticulant. La nuit était tombée. Une grosse lune ronde plaquait sur la neige tassée des reflets de métal. Cyrille traversa comme un fou la Première Avenue dont d'énormes tas de neige occupaient le centre et les bas-côtés. Le passage des piétons avait tracé sur ces levées des sentiers sinueux et creusé des marches d'escalier inégales. Quittant le trottoir de bois, Cyrille bondit, glissa, et s'étala devant la boutique du sabotier tout éclairée. Il se releva et repartit de plus belle sans se soucier des gens qui le regardaient avec étonnement. Même les chiens enchaînés à l'angle des maisons levaient leur museau couvert de givre et le suivaient un instant du regard, l'air surpris.

Il dévala ainsi jusqu'au moulin à scie, coupant à travers les jardins où la neige craquait sous les pas. Il voulait demander à Gendreau de quoi acheter son billet pour Montréal. Il se voyait déjà entrant chez son beau-père pour reprendre son bien. Il essayait de se rappeler les jours de passage des trains. Il les connaissait parfaitement, mais tout se brouillait dans sa tête.

Gendreau était absent. La scie était arrêtée, la chaudière chargée somnolait à petit feu. Pas de lumière ni dans le bureau ni dans la maison d'habitation. Cyrille s'énervait de plus en plus. Il en voulait au monde entier, à commencer par le curé et Charlotte qui avaient laissé partir Élodie, la garde-malade qui lui avait donné les enfants, Gendreau qui l'avait envoyé au bois et le reste de la ville qui ne l'avait pas prévenu.

Toujours aussi vite, toujours se démenant des bras et sacrant à chaque pas, il remonta en direction de la grand-rue. Il hésita un instant à se rendre au presbytère. Il n'arrivait pas à comprendre que le père Levé qui l'avait tant aidé l'eût trahi en laissant partir les siens. Car, pour lui, c'était une trahison. Il savait bien ce qu'étaient les après-messes du dimanche depuis leur accident. Tous les colons du rang trois venaient les voir à l'infirmerie. Et, depuis qu'il en était sorti pour travailler à la chaudière de la scierie, c'était la même chose. Le curé et les autres, en son absence, avaient dû s'y retrouver et c'était sans doute là qu'Élodie leur avait appris qu'elle partait. Le tailleur des richards de Montréal avait dû lui adresser l'argent du voyage. Et personne d'ici n'avait eu le courage de venir trouver Cyrille à deux heures de marche pour l'avertir. En tout cas, ce n'était pas le prêtre qui pouvait lui prêter l'argent de son billet. Au contraire, s'il avait laissé partir Élodie, il était bien capable de sermonner Cyrille pour qu'il se tienne tranquille. L'ancien charbonnier ne voyait qu'une personne susceptible de lui venir en aide : Steph Robillard.

Le souffle court, il se remit à courir en escaladant les banquettes de neige. Dès qu'il eut atteint la Première Avenue, ignorant toujours la présence des passants et des traîneaux, il fonça en direction des vitrines les plus larges et les mieux éclairées, celles du Magasin Général.

Il entra en trombe par la porte qui donne accès au rayon de quincaillerie et d'outillage. Le vieux manœuvre était seul, occupé à trier des rivets. Il regarda Cyrille comme s'il tombait droit de la toiture.

— Où est Steph ?

— Peut-être avec la patronne... sais pas... figure-toi qu'ils ont tout mélangé les rivets...

Cyrille ne l'écoutait plus. Déjà il gagnait le magasin d'alimentation. Catherine Robillard et la grosse Landry se tenaient derrière le comptoir où luisaient quatre balances en cuivre de différentes tailles.

Trois femmes et deux hommes attendaient leur tour en regardant les marchandises exposées. Les énormes lampes à bec dans de belles suspensions de cuivre éclairaient tout comme en plein jour.

De plus en plus nerveux, pressé comme si le train l'eût attendu à la station, Cyrille fit le tour des rayons sans même se rendre compte qu'il bousculait plusieurs personnes. Catherine Robillard, la grosse Landry et les clients le suivaient des yeux puis s'interrogeaient les uns les autres du regard, l'air un peu inquiet. Finalement, Cyrille s'adressa à la patronne :

— Steph, il est pas là ?

Fronçant les sourcils, Catherine lança :

— Bonsoir, monsieur Labrèche !

Ces trois mots arrivèrent au visage de Cyrille comme une douche. Il devint écarlate et se raidit. Bégayant soudain et crachotant, il dit :

— Je... Excusez... Je voudrais voir Steph.

Encore dure, mais moins cinglante, Catherine dit :

— Si vous voulez attendre deux minutes, il va arriver.

Toujours très gêné, Cyrille bredouilla un remerciement et se retira près de la porte de la réserve. Il piétinait. Il était persuadé que tout le monde n'avait d'yeux que pour lui. Dès qu'elle eut servi son client, Catherine rejoignit Cyrille et dit :

— Venez !

Cyrille la suivit. Ils traversèrent la quincaillerie pour

entrer dans l'atelier de cordonnerie où étaient exposées
des quantités de chaussures neuves et de bottes. L'odeur
de cuir et de poix mêlée à celle de la colle qui chauffait au
bain-marie surprenait. Assis derrière son établi, une
semelle luisante entre ses genoux, Alban Robillard tirait le
ligneul. C'était un homme dans la soixantaine qui portait
de petites lunettes cerclées de fer et une casquette grise à
visière cassée. À l'autre établi, un gros garçon joufflu et
épais, battait du cuir. Tous deux s'arrêtèrent. Alban
releva légèrement sa casquette et fit glisser ses lunettes sur
le bout de son nez. S'adressant au garçon, Catherine
ordonna :

— Va chez M. le curé. Y doit être là. Tu lui dis que
M. Labrèche est arrivé.

Cyrille intervint. Comme toujours lorsque la colère le
tenait son débit était heurté :

— Pour quoi faire ? C'est ma femme, que je cherche,
c'est pas le curé...

Sur un ton railleur, Catherine l'interrompit :

— Il y a deux minutes, c'était Steph.

Puis, se tournant vers le garçon qui hésitait, elle ajouta,
autoritaire :

— Allez, petit Max, grouille-toi !

Le gamin sortit et la porte claqua derrière lui, agitant
une batterie de clochettes. Avant même que le carillon fût
éteint, Cyrille parvint à dire :

— Madame Robillard, excusez-moi d'être arrivé
comme ça. Je viens d'apprendre le départ d'Élodie et des
petits. Ça m'a bouleversé.

— Je comprends, mais...

— Je veux juste vous demander de me prêter de quoi
prendre un billet...

— J'ai du monde à servir, dit Catherine de nouveau
plus dure. Le père Levé va venir, on vous expliquera. La

seule chose que je peux vous dire, c'est que personne à Saint-Georges ne vous prêtera de quoi vous en aller. Et surtout pas moi. Vous me devez déjà pas mal, et l'argent, je le fabrique pas.

Cette fois, Cyrille avait pâli. Le rappel de sa dette était une gifle. Comme Catherine faisait demi-tour, il voulut la suivre, mais le cordonnier avait contourné son établi. S'appuyant d'une main sur une grosse canne de coudrier, de l'autre il prit le bras de Cyrille et dit :

— Viens. Viens t'asseoir là.

Sa voix avait quelque chose d'apaisant. Cyrille alla prendre place sur la chaise basse qu'avait laissée l'apprenti. Le cordonnier regagna son propre siège. Il avait posé ses petites lunettes dans une case de son tourniquet à clous. Dans une autre, il prit un carnet de feuilles à cigarettes, ouvrit un pot de grès rouge, prit une pincée de tabac qu'il posa sur la feuille et maintint avec son index le temps de tendre le pot et les feuilles à Cyrille en disant :

— Tiens, roule, ça repose.

Son regard était plein de douceur. Cyrille n'avait jamais vraiment prêté attention à lui. Il savait seulement qu'il était venu là alors que le pont du chemin de fer était à peine commencé et que la ville n'existait pas. Ses doigts brunis par le cuir et la poix étaient adroits. Il alluma sa cigarette avec un gros briquet de cuivre, puis le tendant à Cyrille :

— Vois-tu, charretier, quand on est...

Avec un peu de hargne, Cyrille l'interrompit.

— Charretier sans attelage, c'est pas charretier.

— Ça viendra. Y a pas de culture sans chevaux.

— J'ai pas de culture non plus !

— Ça viendra aussi. Tu sais, la terre, c'est la vraie vie. Ton lot, sur le rang trois, il est toujours à toi. Les autres s'en sortent pas mal. Un cheval, ils viennent d'en acheter un.

Cyrille eut une espèce de soubresaut. Les petits yeux du
cordonnier se plissèrent. Il lissa un instant sa moustache
grise toute jaune sur le côté gauche. Il y eut un silence
interminable. Cyrille ne voulait pas questionner, et il était
visible qu'Alban attendait une question. Remuant sur sa
chaise comme si un clou lui eût piqué les fesses, le
charretier finit par grommeler :

— Un cheval, avec quels sous ?

— Je ne suis pas informé de tout, mais je crois que
Billon a réussi à vendre une remise qu'il avait à Montréal. Puis ma femme a avancé un peu.

— Un cheval, fit Cyrille bougon, faut encore savoir
le mener.

— Je crois que Billon en est capable.

Le cordonnier s'était mis à caresser la chaussure qui
était restée sur la bigorne appuyée contre l'établi. Sa
main était comme une bête souple.

— Moi, reprit-il, si j'avais pas mon problème de
jambes, tu peux être certain que je serais pas là. Je
passerais pas ma vie à cogner sur les semelles de ceux qui
peuvent les user à leur aise derrière une charrue. Chaque
fois que je m'en prends aux godillots d'un laboureur, je
pense à la terre où il les a traînés. Sans compter qu'on
m'apporte aussi des harnais à réparer.

Depuis que Robillard lui avait appris l'arrivée du
cheval, Cyrille avait cessé de guigner du côté des
portes. Il l'écoutait parler de la terre, et c'était le rang
trois qu'il voyait, avec Billon, Garneau, le grand
Koliare et tous les autres. Est-ce que ces imbéciles-là
étaient capables de mener un cheval ? Il était secoué
d'un mauvais rire intérieur. Sûr que tous devaient
regretter de l'avoir laissé partir. S'ils avaient été plus

fermes avec ce pourri de curé... À présent, il allait foutre le camp à Montréal, les autres se débrouilleraient avec leur carne.

Alban continuait de parler tout en cousant sa semelle. Il disait ce que les gens qui voulaient s'en donner la peine pouvaient tirer de la terre d'Abitibi.

Cyrille ne l'écoutait que par intermittence, quand sa colère se retirait un instant.

— Leur cheval, disait Alban, je l'ai juste vu d'ici quand ils sont venus le chercher à la gare. C'est Billon et l'Ukrainien qui sont venus. Je les ai vus passer là devant. Même qu'ils se sont arrêtés et que le grand est entré me demander un bout de cuir pour réparer une courroie. Ils doivent revenir pour acheter un collier plus fort.

Cyrille eût aimé se boucher les oreilles, pourtant il écoutait à présent avec attention. Malgré lui, il finit par demander :

— Ça fait combien de temps qu'ils l'ont ?

— Il est arrivé au train du vendredi, la semaine dernière.

Cyrille s'interdit de poser d'autres questions, et Alban se remit à parler de la terre qu'il avait été contraint d'abandonner au nord du Témiscamingue, et de celle qu'il eût aimé faire ici. Une terre que ses enfants auraient agrandie en prenant toujours davantage sur la forêt.

38

Paysans venus d'autres contrées ou colons arrachés à leurs bureaux, leurs usines, leurs ateliers par la crise, ils n'avaient qu'un lien entre eux : la terre. Si elle ne les rebutait pas dès le premier contact, s'ils commençaient à l'arroser de leur sueur, ils finissaient par l'aimer. Ils la sentaient vierge sous leurs pas, difficile à conquérir, mais prometteuse de richesses que rien ne pouvait égaler. Très vite, ils en venaient à nommer liberté l'esclavage qu'elle leur imposait. C'est qu'ils redécouvraient à son contact, sans le savoir, des gestes vieux de tant d'années. Tout dormait au fond de leur âme depuis la nuit des temps. Ce qui leur semblait nouveau n'était que renouveau. Ailleurs, peut-être de l'autre côté de l'Océan, un de leurs ancêtres avait gratté le sol pour y semer quelques grains d'avoine sauvage.

Des siècles et des siècles plus haut, sur un autre continent, une vieille femme, à demi nue, avait un jour renversé dans la boue sa récolte de céréales péniblement cueillie entre forêt et marécage. Elle avait pleuré sa provende, puis, l'hiver passé, elle l'avait vue renaître au centuple. Cette résurrection du grain, certaines des épouses de colons la portaient en elles, comme les hommes portaient l'amour de l'attelage, la passion du sillon tiré bien droit, la rage de vaincre le bois et de lui arracher son humus.

Ces couples-là n'iraient rien chercher d'autre ni dans les villes, ni dans les mines, ni sur les fleuves. Même si des besognes moins pénibles s'offraient, ils resteraient à leur tâche d'essarteurs parce que la terre les avait empoignés. Elle les tenait aux tripes comme l'océan tient le marin qui joue sa vie à chaque écueil.

La terre du Nord pouvait être plus rebelle que les autres, elle saurait bien les accrocher. Et, peut-être parce que les saisons étaient plus violentes, parce que les étés plus courts exigeaient davantage d'efforts, le combat qui se livrait était plus âpre et plus prenant aussi. Chaque instant comptait. Bêtes et gens devaient se donner tout entiers.

À vrai dire, le Nord n'avait pas été ouvert pour sa terre, mais pour son bois, pour les métaux de son sous-sol. C'était la grande crise qui avait amené la création des comtés agricoles, mais les nouveaux paysans l'oubliaient vite. On leur offrait un royaume, ils ne pouvaient rien faire d'autre que le défricher et l'ensemencer.

Cependant, si certaines femmes pouvaient vivre dans le Nord d'autres ne parviendraient jamais à accepter ce pays. La plupart du temps, celles qui auraient voulu fuir devaient rester. Elles devaient se faire violence, s'efforcer de vivre comme les autres. Lutter contre le froid et contre cette angoisse que font naître au ventre de certains êtres les immensités sans bornes. La peur de ces terres illimitées, de ces océans de forêts semés de lacs et striés de rivières est une chose qui ne s'explique pas. Elle saisit les plus faibles, leur noue la gorge, leur étreint la poitrine et les paralyse. Certains colons devaient repartir parce que leurs épouses risquaient de mourir là, écrasées par ce pays qu'elles maudissaient à longueur de jour et de nuit.

Mais il y avait celles qui s'éprenaient de ces contrées violentes. Femmes de colons, commerçantes, institutrices, serveuses de bars, infirmières gardes-malades. Celles-là s'empoignaient avec la solitude. Autant que les hommes, elles s'étaient juré de faire rendre au pays tout ce qu'il pouvait donner.

Alors que certaines s'enfuyaient dès qu'elles voyaient le campe de bois rond que les hommes avaient eu mille peines à monter, d'autres s'y installaient comme en un palais, s'efforçant d'y rendre la vie agréable par ces mille petits riens qui exigent tant d'efforts. Elles apprenaient à coudre le cuir à la manière des Indiennes et confectionnaient des mocassins souples et imperméables. Elles les faisaient grands, se riant de la mode et de l'élégance, elles luttaient contre l'hiver en portant parfois cinq ou six paires de bas de laine l'une sur l'autre. Pour celle qui s'en allait vivre avec un époux chef d'un chantier de forestage ou de route, en un coin perdu loin de toute paroisse, lorsqu'elle arrivait sur un traîneau à chiens, il y avait parfois deux ou trois cents hommes alignés pour la regarder passer. Car ces hommes restaient des mois sans voir un visage féminin. En été, les femmes de ce Royaume du Nord devaient, comme les hommes, s'enduire le visage d'une huile noire, à base de goudron, qui puait, brûlait la peau mais éloignait les nuées de moustiques montant du marécage.

Ces femmes prenaient l'habitude de la vie encore à demi sauvage. Elles ne s'étonnaient plus de côtoyer les Indiens sortant des réserves pour venir s'embaucher en forêt ou dans les mines. Elles ne s'étonnaient plus de voir les hommes laisser pousser leur barbe en novembre et la couper au printemps.

Les plus pauvres s'en allaient parfois, durant de longues journées, se livrer à des travaux de bagnards. Embauchées par les contracteurs sur les routes à empierrer, elles enfilaient leur main gauche dans un gros gant de cuir, prenaient une pierre et la cassaient d'un coup de massette. Elles devaient ensuite faire entrer chaque caillou dans une caisse par un trou de calibrage pratiqué dans le couvercle. Un contremaître vidait les caisses pleines et, chaque fois, ajoutait un bâton sur son calepin, en face d'un nom. Les contracteurs gagnaient gros sur la peine de ces femmes qui touchaient vingt-cinq cents pour chaque caisse remplie. Les épouses de colons partaient de nuit, avec leur homme qui s'en allait aussi sur les chantiers. Tous commençaient leur journée au fanal; elles cassant les cailloux, eux creusant les fossés de drainage, charriant et étendant les pierres.

Les plus éprouvées, les plus dévouées étaient les gardes-malades. Par les nuits de tempête ou de grand gel, dans les orages, au long des chemins incertains, elles partaient à la recherche du lumignon placé sur un seuil et indiquant qu'un malade attendait du secours. Lorsqu'un homme venait les chercher, c'était parfois avec un attelage d'emprunt, à bord d'un traîneau de fortune qu'il savait à peine mener. Et c'était dans la neige des courses folles, avec des chutes, avec la douleur terrible des gelures.

Parfois, les maisons misérables étaient si mal tenues que les gardes, obligées d'y séjourner des journées et des nuits, n'osaient manger que du bout des lèvres les patates à l'eau, les soupes de céréales gluantes et le poisson séché pendu au-dessus du poêle.

Dans les nuits, les loups hurlaient. Il arrivait qu'ils attaquent les chiens ou les chevaux attelés au traîneau.

Les femmes du Royaume du Nord qui ne renonçaient pas finissaient toutes par s'attacher à cette terre. Et les moins accrochées n'étaient pas celles à qui elle avait pris un mari ou un enfant. Car bien des bûcherons mouraient dans l'hiver, bien des mineurs restaient pris à jamais au fond des galeries.

39

Quand le père Levé entra chez le cordonnier, les autres portes du Magasin Général étaient déjà fermées. Il faisait grand nuit depuis un moment et le prêtre dit, tout essoufflé :

— Les curés devraient être comme les médecins, la ville devient grande, il faudrait une automobile.

Alban se leva et dit à son apprenti :

— Tu peux fermer, Timax.

Le prêtre qui serrait la main de Cyrille la retint dans les siennes en disant au cordonnier :

— Si vous m'enfermez avec celui-là, on va certainement se battre.

— Faut pas rigoler avec ça, mon père, dit Cyrille sèchement. Je veux pas être séparé de ma femme et de mes petits.

Catherine Robillard entra par la porte donnant sur le magasin et dit :

— Tu peux aller, Timax. Tu diras à ta mère de mettre deux assiettes de plus.

Le prêtre empoigna Cyrille par l'épaule et le secoua en lançant :

— Oh alors, si nous sommes invités...

— Quand on arrive chez les gens à pareille heure, fit

Catherine, c'est qu'on est comme les vagabonds, on espère la soupe, monsieur le curé.

Ils se mirent à rire, et Cyrille, sans aller jusqu'à les accompagner, ébaucha un sourire

Alban retourna à sa place et montra la chaise de l'apprenti au curé qui s'y installa de biais, un coude sur le dossier, l'autre sur l'établi. Catherine s'assit sur une caisse et désigna à Cyrille la chaise destinée aux clients qui essayaient des chaussures.

— J'aime mieux qu'on cause ici tranquilles, fit-elle, à la cuisine, avec la marmaille, c'est pas facile.

Il y eut un petit temps avec des échanges de regards comme si chacun eût attendu de l'autre qu'il lançât le premier mot. À la surprise de Catherine et du curé, ce fut Alban qui dit :

— Quand vous êtes arrivé, mon père, j'étais justement en train de lui raconter l'incendie, quand on s'est retrouvés sans rien...

— Seulement, vous aviez votre femme. Elle est pas repartie.

Alban se mit à rire :

— Heureusement, à ce temps, j'avais les deux jambes raides, je risquais pas de lui courir après.

— La mienne, fit Cyrille, elle a les pieds...

Catherine redevenue tranchante l'interrompit :

— Ne nous rappelez pas ça, Labrèche. Nous le savons. Et vous, vous savez très bien que c'est pour ça qu'elle n'a pas pu rester. Elle souffre encore trop pour s'accommoder d'une vie aussi dure. Mais elle l'a promis, elle reviendra quand vous pourrez l'accueillir dans une vraie maison.

— C'est à moi qu'elle l'a promis, dit le père Levé. Je sais qu'elle tiendra.

— Une maison, ça se fait pas comme ça.

Cyrille eut un geste de la main en faisant claquer son pouce contre sa paume.

— J'en sais quelque chose, dit le prêtre. Je t'ai aidé à bâtir un beau petit campe, tu l'as poussé à l'eau à la première occasion.

Cette fois, ils se mirent tous à rire. Puis, se reprenant le premier, Cyrille grogna :

— Tout de même, vivre séparés si longtemps.

Le prêtre expliqua qu'en bien des endroits, les services de colonisation n'avaient laissé venir les femmes que plusieurs mois après les hommes, une fois les maisons bâties.

— Ici, dit Catherine, on a trop bien organisé l'accueil. C'est pour ça qu'on nous envoie les familles tout de suite. Seulement, une fois à Saint-Georges, les femmes partent sur les rangs beaucoup trop tôt.

— C'est une question qu'il faudra revoir avec les bureaux de Québec, dit le prêtre.

Cyrille éprouvait le sentiment qu'on discutait d'un problème qui ne le concernait plus. On semblait l'oublier. Il toussa et remua sur son siège avant de se décider à dire :

— Puis moi, c'est bien beau, mais j'ai plus rien. Pas même une hache.

— Pour des outils, fit Catherine, je n'ai jamais refusé une avance.

— Et pour le reste, ajouta le prêtre, il y a tout de même la caisse de secours. On ne te laissera pas sans rien.

Cyrille voulut parler encore, mais le prêtre se leva et alla vers lui en disant :

— Écoute-moi. Demain matin, nous partirons tous les deux là-bas. Tu verras où en sont les autres. Si tu as envie de rester avec eux, tu resteras. Si tu préfères repartir à Montréal et vivre sur le secours de l'État ou des aumônes de ton beau-père, c'est moi qui te trouverai l'argent du billet. Je m'y engage. Et Mme Robillard sera remboursée de ce que tu dois par la caisse de la colonisation.

— De toute manière, fit Cyrille, mes dettes, je les réglerai. Je vivrai pas de charité.

Catherine se leva.

— Allez pendant qu'on y voit, dit Alban. J'éteindrai. J'ai l'habitude.

Ils traversèrent le magasin où une seule lampe était restée allumée. Un son d'harmonica venait jusque-là.

Lorsqu'ils entrèrent à la cuisine, la musique cessa et des enfants se mirent à crier.

— Doucement! lança Catherine. Dites bonjour, et à table.

Une fillette et trois garçons plus petits vinrent saluer le curé, puis, comme Cyrille se baissait, ils l'embrassèrent. Steph montra les garçons et dit :

— C'est mes trois gars. La fille, c'est Étiennette, la sœur à Timax.

La grosse Landry apportait sur la table un énorme fait-tout émaillé fumant et fleurant bon. Une femme d'une trentaine d'années tenait sur son bras un nourrisson. Le curé alla l'observer de près et dit :

— Mon pauvre Steph, celui-là, tu ne pourras pas refuser non plus de le nourrir.

Cyrille regardait tout, un peu perdu.

L'homme qui jouait de l'harmonica à leur arrivée était de la taille de Steph, mais plus sec et d'allure plus féline. Il avait le même regard clair dans des orbites plus creuses. Son visage était envahi d'une épaisse barbe blonde et argent très broussailleuse. Il enfouit son petit instrument luisant dans la poche d'une veste de cuir sans manches toute rapiécée. Il tendit la main à Cyrille.

— On se connaît pas, mais comme t'as couché dans mon lit, on se connaît tout de même.

Cyrille comprit qu'il s'agissait de Raoul Herman, dont Steph lui avait prêté la tente et la traîne. Il bredouilla un remerciement et ajouta :

— La traîne, elle est restée...

Le grand barbu lui claqua l'épaule en disant :

— T'en fais pas pour ça. Elle avait fait plus que son temps.

Tout le monde se mit à table, les femmes et les enfants du bout où était la grosse cuisinière, les hommes de l'autre bout. Timax s'était assis à côté de Raoul qu'il semblait dévorer des yeux. Comme Cyrille qui se trouvait en face d'eux les observait à travers la buée de sa soupe, Raoul dit :

— Celui-là, y sait déjà piéger mieux que beaucoup qui se disent trappeurs. D'ici deux ou trois ans, je vais l'emmener tout au nord avec moi. C'est pour lui que j'ai repris des chiens.

Il y eut un grand moment de cacophonie. La grosse Landry criait qu'elle ne voulait pas qu'on lui prenne son fils pour en faire un sauvage. Alban réclamait son apprenti. Steph disait qu'il avait eu tort de ne pas suivre Raoul. Sa femme lui reprochait de regretter d'être marié. Comme les petits se mettaient de la partie, Catherine tambourina sur la table avec le manche de son couteau en criant :

— Oh là ! Du calme. On ne peut pas plaisanter sans que ça tourne à la pagaille !

Aussitôt, le silence s'établit. Petits et grands plongèrent du nez dans la buée et se remirent à manger.

Cyrille mangeait aussi. Et il pensait à ce qu'Alban lui avait raconté. Au dénuement que ces gens avaient connu et à leur prospérité.

Dès le repas terminé, la femme de Steph disparut avec ses quatre petits, puis, ayant débarrassé et lavé la longue table de bois patiné, Justine Landry s'en fut à son tour avec ses deux enfants. Steph servit aux hommes un verre de rhum et, dans la fumée des pipes et des cigarettes, Raoul se mit à parler du Nord d'où il était revenu depuis trois jours avec un lourd chargement de pelleterie. Il parlait de ses chiens comme Cyrille eût parlé de chevaux. Les autres l'écoutaient sans rien dire.

Lorsque l'heure fut venue d'aller dormir, le prêtre se leva et dit à Cyrille :

— Tu vas venir coucher chez moi. Tu seras mieux que dans ce grand bâtiment tout froid.

Cyrille essaya de protester, mais Raoul lui posa sa large patte sur l'épaule en disant :

— Celui-là, essaie jamais de discuter avec lui, il arrivera toujours à te rouler dans ses patenôtres. J'en connais des bien malins qui se sont fait avoir.

Le prêtre lui lança une bourrade en répliquant :

— À commencer par un nommé Raoul, qui a pourtant une fameuse grande gueule !

40

L ES deux hommes partirent à l'aube après avoir pris un vrai repas : lard, œufs frits et retournés, crêpes au sirop d'érable, le tout arrosé de thé et suivi d'un petit verre d'alcool de genièvre. La vieille Sophie qui tenait le ménage du curé ne cessait de les presser de manger davantage en répétant :

— C'est un pays dur. Si on sort sans se garnir le ventre, le froid vous tortille comme de rien. Mon pauvre homme aurait mangé un peu plus, y serait pas mort à quarante ans.

Quand ils furent dehors, le prêtre dit :

— Si je l'écoutais, je serais comme une barrique. Son homme est mort du cœur. Mais elle a fini par se mettre dans la tête que tous les gens qui meurent ici sont tués par ce pays qu'elle déteste.

Tant que le sentier les obligea à aller l'un derrière l'autre, ils marchèrent en silence, le prêtre devant avec sa musette de gros drap kaki qui lui battait les fesses et, à la main, ce qu'il appelait sa petite chapelle portative qu'il ne voulait confier à personne. Cyrille portait une hache toute neuve choisie par Alban Robillard et un sac où il avait un peu de linge, son rasoir et un savon. Dès qu'ils atteignirent la partie du chemin que ceux du rang avaient élargie, ils marchèrent côte à côte. Il faisait toujours un beau froid vif et le sol était partout dur comme pierre.

— Ils en ont encore fait pas mal depuis ma dernière visite, observa le prêtre. En tout cas, il y a du beau bois à débarder.

Il ne disait pas « du travail pour un cheval et un homme capable de le mener », mais il le laissait entendre. Cyrille observait en silence. Il voulait demeurer sur la réserve et ne pas souffler mot qui puisse être reçu comme un engagement de sa part. Il se contenta de dire avec un petit rire :

— C'est toujours pas avec une seule bête qu'y vont débarder les plus gros.

Comme ils atteignaient un bas-fond que les hommes avaient ponté avec des rondins, le prêtre remarqua :

— Billon sait vraiment mener un chantier. C'est un homme qui a le sens des matériaux et du travail. Voilà qui est précieux, sur un rang.

Et il se mit à évoquer des équipes constituées exclusivement de gens qui ignoraient tout des gros travaux et qu'on avait vus renoncer après quelques semaines épuisantes. Il se tut soudain et s'arrêta. Cyrille en fit autant. Le visage du prêtre s'éclaira. Encore loin, des haches cognaient. C'était un beau bruit franc que le vent semblait tout heureux de leur apporter. Un bruit de vie qui s'installe dans le sauvage.

Ils repartirent en allongeant le pas.

Lorsqu'ils débouchèrent sur l'espace défriché, ce fut l'Ukrainien qui les repéra le premier. Il planta sa cognée dans un tronc et se mit à faire le moulin avec ses longs bras en poussant des hurlements. Dès qu'il voulait crier de joie ou de colère, il oubliait le français. Sa langue maternelle revenait, mais tous ses compagnons se tournèrent aussitôt dans la direction où il s'était mis à courir.

— Regarde-moi ce grand fou, dit le prêtre.

On sentait tout un bonheur dans ces quelques mots.

Les autres arrivaient derrière lui, et les femmes sortaient des maisons.

Cyrille regardait partout en même temps. Il essayait de tout voir. Il compta six campes dont la cheminée fumait, plus celui du début, plus un autre en construction. Il vit aussi que celui de Billon était flanqué sur son arrière d'un petit bâtiment qui ne pouvait être qu'une écurie. Il sentit monter en lui l'envie d'y courir, mais il la maîtrisa. Déjà Koliare arrivait. Emprisonnant Cyrille dans ses grands bras noueux, il le serra à l'étouffer et plaqua sa bouche sur la sienne. Cyrille était tellement estomaqué qu'il ne put que se dégager en grognant :

— Complètement maboul, celui-là.

Le grand continuait de brailler dans sa langue. Et les autres qui les rejoignaient peu à peu s'exclamaient aussi, les entouraient, questionnaient, racontaient, montraient la terre, les bois, les maisons et parlaient tous en même temps. Les femmes qui arrivaient à leur tour avec les enfants se mirent de la partie et ce fut, durant un long moment, une terrible cacophonie.

— Vous allez les étouffer, criait Charlotte Garneau en tentant de les dégager. Ils doivent avoir faim, après la marche.

Cyrille brûlait d'envie de demander à voir le cheval, mais il se contenait. Il s'accrochait à son idée de ne pas faire un geste, de tout laisser venir à lui, avec une espèce d'envie de tout repousser que ne suffisait pas à expliquer son désir d'aller retrouver Élodie. Il lorgnait vers le bout du rang. Là où aurait dû se dresser son campe, le bois était intact. Après, on apercevait la bâtisse de David Fatin. Juste avant, c'était celle du gros Mélançon.

Finalement, ce fut le prêtre qui éleva la voix pour demander :

— Et votre cheval, y travaille pas ? C'est un cheval de luxe.

Les enfants s'étaient déjà éloignés, quelques femmes aussi, sorties sans se couvrir, avaient regagné les fourneaux. Les paroles du prêtre amenèrent une espèce de demi-silence hésitant. Puis, Billon parla le premier.

— C'est ma faute, c'est moi qui me suis occupé de tout. On est tombés sur une bête dure. Qui a dû être malmenée. On peut rien en tirer. Je me suis fait rouler, quoi !

Cyrille vit que tous les regards convergeaient vers lui. Garneau dit :

— Moi, je pense que c'est un cheval qui a jamais travaillé seul.

— Tu veux dire jamais travaillé du tout.

— Bon pour la boucherie.

— Il a pris des coups.

— Trop souvent changé de maître.

Après ce silence, voilà qu'ils se mettaient de nouveau à parler tous en même temps. La grosse Charlotte qui était restée à côté de Cyrille lui serra le bras et lança :

— Taisez-vous donc, c'est que vous savez pas le mener.

Cyrille ne voulait pas demander : « montrez-le-moi », et pourtant, l'envie l'en démangeait autant qu'elle tenaillait les autres de lui dire : « va donc le voir ». Et ce fut encore le curé qui se décida :

— Peut-être bien qu'il faudrait l'avis d'un qui s'y connaisse.

Tous les regards se portèrent de nouveau vers l'ancien charretier et la poigne de Charlotte qui ne l'avait pas lâché se crispa tandis que la grosse femme grognait ·

— Allez, tête de mule, t'en crèves d'envie !

Comme s'il n'eût entendu ni ses paroles ni les petits

rires des autres, Cyrille se dirigea vers l'écurie en grognant :

— Bête dure. Bête dure, ça veut rien dire. J'aimerais bien voir ça. Comment est-ce qu'il s'appelle, ce cheval ?

— Cadieu. Il s'appelle Cadieu.

— Cadieu ? Drôle de nom pour un cheval.

— C'est sur le papier.

Les femmes qui étaient rentrées devaient guetter de leurs fenêtres. Lorsqu'elles les virent marcher vers l'écurie, elles revinrent ayant enfilé des manteaux et jeté leurs châles sur leurs têtes. Les enfants se rapprochaient aussi. Billon et Koliare marchaient devant avec Cyrille, puis venait le curé avec Pinguet et Lafutaie, ensuite, les autres s'étiraient. Un hennissement et des cliquetis vinrent à leur rencontre.

— Laissez-moi lui dire un petit bonjour tout seul, dit Cyrille en posant son sac et sa hache.

Il entra et referma derrière lui. Une lucarne laissait couler la lumière sur la croupe large et luisante d'un gros cheval gris pommelé qui colla son flanc droit contre le mur de rondins.

— Bon, t'as un petit peu de crainte, mon vieux. Faut pas. Je suis de ton monde, moi. Je suis pas comme les autres.

Sa voix qui avait souvent tendance à se percher dans les aigus un peu éraillés se faisait grave. Veloutée. Enveloppante. En l'écoutant de l'extérieur, les autres qui avaient éloigné les enfants se regardaient d'un air de dire qu'on leur avait changé leur Labrèche.

— Cadieu, fit Cyrille en riant doucement, paraît que tu te nommes Cadieu. Ben, veux-tu que je te dise, mon beau, c'est une drôle d'idée d'appeler un cheval comme ça. Mais peut-être que tu trouves drôle que je me nomme Labrèche. Après tout, chacun ses idées.

Attaché au râtelier, le cheval tirait sur sa chaîne pour regarder l'intrus, les oreilles pointées vers l'avant et les naseaux largement ouverts. Il reniflait fort, mais il ne plissait pas le bout du nez.

— T'as de la crainte, répéta Cyrille, mais t'as pas pour deux sous de malice, mon Cadieu. Ça se voit comme le nez au milieu de la figure. Seulement, pour commencer, y t'ont attaché trop court.

Il détacha le cheval qui secoua la tête, comme satisfait de cette liberté.

— Un cheval dur, disait Cyrille en lui caressant l'encolure, qu'est-ce que ça signifie ? Je te demande un peu.

Cyrille plongea sa main droite dans sa poche et en tira un croûton de pain qu'il avait pris le matin, chez le curé.

— Je savais que t'étais sur le rang, fit-il, je me doutais bien qu'on se rencontrerait.

Il cassa le pain en deux et en tendit un morceau sur sa main bien ouverte. Le cheval flaira et prit tout de suite à larges lèvres. Tandis qu'il mangeait, Cyrille lui gratta le front et lui tapota le col en disant :

— Tu m'as bien l'air d'un dur, toi. Ah oui ! Je me demande ce que ces mabouls ont bien pu te faire.

Cadieu tourna la tête, le flaira et lui donna du nez en pleine poitrine.

— Ah ! Je sens le cheval. Ça te met en confiance. En tout cas, tu sais bien réclamer.

Il lui donna l'autre bout de pain, puis, le flattant encore, il dit à mi-voix :

— Tu vas les épater, mon vieux Cadieu. Tu vas venir leur dire un petit bonjour tout seul, sans que j'aie à te tenir.

Il ouvrit la porte et se retourna pour dire :
— Allez, viens-t'en.

Le cheval flaira l'air frais et marqua une hésitation. Ceux qui attendaient dehors s'écartèrent. Comme le cheval, le nez à hauteur du seuil s'arrêtait, Cyrille fit quatre pas puis, se retournant, d'une voix plus forte, il dit :

— Viens-tu, oui ?

Comme il se remettait à marcher, Cadieu le rattrapa pour lui bourrer le dos d'un grand coup de nez. Les premiers à rire furent les enfants que les mères tenaient à l'écart. Cadieu eut un regard dans leur direction puis, tout de suite, il revint à Cyrille qui semblait vraiment son seul centre d'intérêt.

— Montre-moi un petit peu tes dents.

Tenant de l'index gauche la jointure du montant et de la muserolle, Cyrille d'un pouce baissa la lèvre inférieure et, de l'autre, releva la supérieure.

— Toi, t'as même pas trois ans. Je l'avais vu à ta queue.

Lâchant la bouche, il s'écarta légèrement sur le côté et ajouta :

— Je voudrais pas te peiner, mon vieux Cadieu, mais t'es loin d'être pure race. Tu tiens du bourbonnais et du percheron, puis t'aurais un petit peu de flamand que ça m'étonnerait pas. Ben veux-tu que je te dise : c'est pas plus mal. T'es sûrement plus résistant.

Ignorant la présence des autres, Cyrille demanda au cheval :

— Qu'est-ce que ces imbéciles ont bien pu te faire, pour que tu fasses le dur ?

Les hommes commençaient d'avancer en parlant :

— Je l'ai toujours dit, que c'est une bonne bête.

— C'est Koliare avec sa grande gueule...

— C'est toi, tu pues la chique, il aime pas ça.

— Vous lui avez dit trop de conneries.

Cadieu les regarda d'un air inquiet. Ses oreilles hésitaient encore entre l'abandon et l'alerte. Cyrille daigna enfin se tourner vers eux pour demander :

— Alors, qu'est-ce que vous lui avez fait faire, à ce gaillard-là ?

— Y a des troncs à tirer, dit Billon, et pas les plus gros. Rien à faire.

— C'est bon, on va essayer. Sortez-moi les harnais.

Koliare et Garneau se précipitèrent. Le grand revint avec le collier et Garneau avec les chaînes de trait. Dès qu'il vit les harnais entre les mains de Labrèche, le cheval coucha les oreilles et allongea le col. Cyrille passa le collier et le boucla.

— Rien que pour ça, fit Billon, on a enduré mille maux.

— Pourtant, on voit qu'il a l'habitude.

— Faut dire que Koliare lui tirait sur la gueule comme une brute.

Heureux d'avoir retrouvé l'Ukrainien, Cyrille se laissa enfin aller.

— Peintre en voitures, il a seulement jamais vu un cheval.

L'Ukrainien répliqua :

— Normal. Chez nous, c'est les grandes gueules comme toi qu'on attelle.

Ils étaient partis à plaisanter et Cyrille dut les calmer :

— Gueulez pas. Avec les bêtes, faut du calme.

— Ça te va bien, fit Koliare.

Ils se dirigèrent vers les fûts d'épicéa que les hommes avaient tenté de faire tirer.

— Voilà, dit Billon, on l'a attelé à ça.

— Y va l'enlever facilement, assura Cyrille

Puis comme Billon préparait la chaîne, il l'arrêta.

— C'est comme ça que vous l'avez mis ?

— Oui.

— Vous voulez lui faire lever, ou tirer?

Les autres se mirent à rire. Cyrille allongea la chaîne et demanda :

— Vous l'avez fait tirer où?

— Par là.

Ils montrèrent le chemin entre les lots, tout droit devant le tronc.

Avec un haussement d'épaules méprisant, Cyrille expliqua :

— Votre tronc, il est collé au sol par le gel. Une paire de bœufs, peut-être qu'elle le tirerait, mais un cheval comme ça, si ça vient pas, y se rebute. C'est normal. Faut déjà lui faire décoller la bille en la tirant un petit coup par le travers. Et puis, la prochaine fois, vous coucherez vos troncs sur deux bouts de branche. Ça fait rouleau et ça aide au départ. Et moi je vous dis que même les gros, sur les rouleaux y veut les débarder, ce cheval-là.

On le sentait gonflé d'un bel orgueil, comme si le cheval avait été sa propriété. Il écarta les autres, puis, prenant Cadieu par la bride, il le fit venir en dehors du chemin, choisissant un bon sol sans embûches. Quand la chaîne fut tendue, il dit :

— Allez, mon beau, un bon petit coup.

Le cheval campé ferme sur ses quatre fers ploya les reins et donna du poitrail à plein collier. Sa croupe se baissa, ses muscles frémirent sous le poil et, tout de suite, le tronc se décolla et vira de l'avant.

— Ho! C'est bien, mon beau.

Le ramenant sur le chemin, Cyrille fit tirer jusqu'à l'endroit où étaient déjà d'autres grumes. Quand le cheval haletant s'arrêta, il lui prit la tête et la serra contre lui en murmurant :

— Mon Cadieu. T'es un bon. Un tout bon. Je l'ai senti tout de suite à voir ton œil.

— Qu'est-ce que tu lui racontes? demandèrent les autres qui avaient suivi le tronc en procession.

— Je lui dis que vous êtes tous des cons.

Libéré, Cadieu eut un hochement d'approbation qui déclencha un grand rire.

41

CE soir-là, les femmes avaient accompli des prodiges. Elles s'étaient réparti la besogne. L'une se chargeant de la viande, une autre des pommes de terre, plusieurs autres des grands-pères au sucre et des crêpes.

Le repas et la veillée avaient eu lieu dans la maison de cure, celle où couchaient encore l'Ukrainien, Ferdinand Rossel et le fils Mélançon. Il y eut des chants qui durèrent assez tard, puis la prière. Avant de laisser les veilleurs allumer leurs lanternes pour regagner leur demeure, le prêtre dit :

— À présent, vous avez l'homme-cheval. À lui seul, il va vous abattre la besogne de six travailleurs. En échange, il faut que tout le monde lui donne la main pour monter son campe. Vous savez comme Élodie a souffert, quand elle viendra vous rejoindre, il faut qu'elle ait la demeure la plus chaude du pays.

Tous l'approuvèrent, tous promirent leur aide.

— Je viendrai aussi, dit-il. Et bientôt, vous aurez un curé, on m'a annoncé son arrivée.

— On est très bien avec vous, fit Koliare.

— Oui, mais vous serez une paroisse. Vous bâtirez une église. Il vous faudra un prêtre. D'ailleurs, il va falloir lui trouver un nom à votre paroisse. Y avez-vous réfléchi ?

Certains dirent que ce n'était pas à eux de le faire, mais le prêtre les arrêta :

— Vous feriez mieux d'en proposer un. Au moins, si c'est vous qui le choisissez, vous n'aurez rien à redire.

Ils se mirent à discuter. Chacun lançait des noms. De grosses plaisanteries aussi. Le prêtre devait de temps en temps frapper dans ses mains pour ramener le calme. Alors, on entendait ronfler le feu dans le gros poêle, puis, après quelques minutes, la grêle des noms reprenait.

— Il faut réfléchir, trancha le père Levé, on ne trouve pas toujours du premier coup. Allons nous coucher...

Cyrille qui n'avait pas dit grand-chose interrompit le curé pour proposer :

— Et si on l'appelait Val Cadieu ?

Il y eut un silence. Puis, les voix timides se mirent à répéter :

— Val Cadieu... Val Cadieu...

Et ça faisait un ronronnement presque harmonieux, comme un vent léger tournant autour de la toiture.

Certains dirent :

— Après tout, ça sonne pas si mal.

— Le premier cheval, observa Charlotte Garneau, c'est l'espérance.

— Val Cadieu, pourquoi pas ?

— Que ceux qui sont d'accord lèvent la main, dit le prêtre.

Toutes les mains se levèrent et les femmes voulurent embrasser Cyrille qui avait baptisé la paroisse.

— En plus de ça, observa Billon avant de se retirer, il a sauvé Cadieu, parce que c'est certain qu'on aurait fini par le manger, ce foutu animal.

Le prêtre et Cyrille s'installèrent avec ceux qui logeaient encore là. Le matin, ils allèrent manger chez Garneau où Charlotte avait préparé le repas, puis tous s'en allèrent au travail. Le curé regagna le campe où il avait couché et commença la confession. Les femmes s'y rendaient une à une, guettant de leur fenêtre la sortie de leur voisine pour se précipiter. Puis ce fut le tour des hommes. Cyrille y fut parmi les premiers, laissant reposer un moment Cadieu à qui il venait de donner à boire. Quand il sortit, il retourna tout de suite à son débardage qui marchait à grand train. Koliare était avec lui, car certains troncs étaient trop lourds pour Cadieu. Les hommes devaient les faire rouler au presson pour dégager les plus petits.

Cadieu se comportait admirablement.

— T'es le roi, lui criait l'Ukrainien. Je connais pas beaucoup de villages qui portent le nom d'un cheval. Mon vieux, tu peux dire que t'as de la chance, toi.

Ils avaient vu passer Billon qui se rendait à la confession. Lorsqu'il revint, il n'était pas seul, le prêtre l'accompagnait. Et les deux riaient en approchant des débardeurs.

— Terrible ! lança Billon.

— Quoi donc ?

— Devinez ?

Les autres se regardaient.

— Le cheval, y s'appelle pas Cadieu.

Cyrille fronça les sourcils.

— Qu'est-ce que tu nous chantes là, fit Koliare.

Billon sortit un papier de sa poche et le tendit en disant :

— Regardez !

Tandis qu'ils examinaient un imprimé rempli d'une écriture maladroite, le prêtre expliqua :

— Ça me tracassait, ce nom. J'ai demandé à voir le papier. Cadieu, c'est le nom de l'habitant qui a revendu le cheval à votre marchand de Senneterre.

— Et le cheval, alors ?

Le prêtre leur montra le nom qu'ils cherchaient.

— Le Gris, fit Koliare, c'est tout bête.

— C'est tout de même son vrai nom, fit Billon.

D'une voix où pointait déjà une nuance de colère, Cyrille lança :

— M'en fous, moi. C'est Cadieu, ça reste Cadieu. Et ce sera rien d'autre !

42

Dès ce jour-là, l'existence changea sur le rang trois dont Cadieu devint vraiment le centre. À la fin de l'hiver, tous les campes étaient couverts. Pour celui de Cyrille Labrèche, il ne restait qu'à finir l'intérieur, mais c'était une petite besogne que l'on pouvait réserver pour les jours de pluie.

Avec la venue du printemps, Cadieu se mit à patauger dans la boue. Car le dégel permettait qu'on essaie d'enlever les premières souches. Et, cette fois, c'était vraiment à la terre qu'on s'en prenait. On creusait un peu pour passer des chaînes sous les racines les plus accessibles, on en fixait une à l'espèce de cabestan que les hommes avaient fabriqué et dont la queue était assez longue pour qu'ils se mettent tous à pousser. Tous sauf Labrèche, car on attelait Cadieu à l'autre chaîne. Et le grand Koliare y allait à pleine gueule pour donner le départ. Les hommes poussaient, le cheval tirait.

— Hue!

— Ho! Hisse!

On entendait craquer les racines. La glèbe se soulevait comme fouie par d'énormes bêtes. Et l'Ukrainien terreux jusqu'aux cheveux la prenait à pleines mains, la pétrissait en clamant :

— Ça, c'est de la terre. De la vraie terre!

Il le criait tantôt en français et tantôt dans sa langue, mais tout le monde savait ce que signifiaient ses coups de gueule.

Quand une souche résistait par trop, un homme ou deux se détachaient du groupe pour aller voir ce qui tenait si fort. Dans la boue jusqu'aux genoux, ils frappaient de la cognée pour couper les racines. On criait :

— Ho! les femmes.

Alors, arrivaient en pataugeant à pleins sabots la grosse Charlotte, Georgette Rossel ou Reine Fatin qui joignaient leurs forces et leur poids à celui des hommes. Quand le curé ou un prêtre de mission se trouvait de passage, il relevait sa soutane et donnait la main.

Tout autour, dans la forêt encore vierge, le printemps menait sa besogne sans rien salir. Il n'y avait que les hommes pour remuer toute cette gadoue. Ce bouleversement gagnait le chemin où les enfants claquaient des pieds dans les flaques. On entendait les mères crier :

— Déchaussez-vous, petits maudits. N'entrez pas comme ça, je passe mon temps à récurer !

Les jours grandissaient. La neige fondait. Les glaces craquaient sur les lacs, les rivières et les creux d'eau. Ce qui recouvrait les toitures avait glissé dès les premiers jours, entraînant les longues aiguilles de cristal accrochées aux rebords et qui s'étaient brisées. Sous les mousses et les broussailles écrasées par les neiges durant des mois, la vie reprenait. Mille sources minuscules traçaient leur chemin secret. Les larves invisibles préparaient aux colons les désagréments de l'été. Moustiques, maringouins, frappe-abords, mouches noires, taons d'orignal, brûlots et autres vermines émergeaient par milliards de leur léthargie.

Ils allaient bientôt s'abattre en nuées bourdonnantes sur les colons et le pauvre Cadieu, mais les gens du rang trois étaient déjà trop accrochés à leur terre pour s'en laisser chasser par ces parasites du Nord. Le dégel terminé, alors que les premières feuilles naissaient, dès que les parties défrichées furent à peu près ressuyées, on se mit à préparer les terres. Entre les plus grosses souches qu'on ne pourrait enlever qu'après deux ou trois années, on entreprit les premiers labours. Cadieu et Labrèche manœuvraient tant bien que mal. L'Ukrainien, le gros Mélançon et Florent se relayaient à la petite charrue à manches dont le coutre butait souvent contre une roche ou une racine. Le reste — et c'était les trois quarts — se faisait à la pioche. Les femmes s'y mirent aussi et même les plus grands des enfants qui tiraient ou portaient les morceaux de racines sur les énormes tas qu'on brûlerait dans l'été, quand ils auraient séché, quand le vent tomberait et que le bureau de la colonisation donnerait l'ordre de mise à feu.

Faivre que l'on n'avait pas vu de l'hiver vint deux ou trois fois en inspection pour s'assurer que les colons méritaient bien la prime de défrichement. Il vint aussi quand la terre fut prête pour les semailles car aucun de ces hommes ne savait ni lancer le blé ni planter une pomme de terre. Il leur enseigna les gestes et ils se mirent à ce travail nouveau qui portait l'espérance. Et Cadieu tira la herse comme il avait tiré la charrue. Il traîna le gros rouleau de bois taillé dans un tronc de mélèze. Tous s'accordaient à dire que c'était le meilleur cheval du monde et que la paroisse qui portait le nom d'un pareil parrain ne pouvait pas trahir ceux qui l'avaient à grand-peine gagnée sur la forêt.

On fit avec des perches un enclos à Cadieu pour qu'il ne passe pas tout son repos enfermé. Et Cyrille apprit aux enfants à bien ouvrir leur main pour lui donner une croûte de pain. Cyrille le faisait en pensant à ses propres enfants qu'Élodie ramènerait bientôt. Car Élodie écrivait qu'elle reviendrait. Cyrille répondait pour dire que le campe serait bientôt prêt. Et Charlotte Garneau élevait la voix pour affirmer :

— Si elle revient pas, je suis bien capable d'aller la chercher, moi !

Mais Cyrille avait peu de temps pour penser et pour écrire. Le travail que l'on achevait tirait toujours derrière lui un autre travail.

Avec l'approche des chaleurs, il devint dangereux de boire l'eau des sources où se multipliaient les larves. Il fallut donc creuser un puits, le boiser, charrier des pierres pour en garnir le fond. Songer à en creuser un autre pour ceux qui se trouvaient à l'extrémité du rang.

Et puis, le chemin à continuer pour que Cadieu, un jour, puisse tirer un char jusqu'à Saint-Georges.

À mesure que les campes s'achevaient, les familles s'y installaient. Bientôt, Cyrille demeura seul dans le bâtiment de la cure. On attendait toujours le prêtre annoncé, il ne venait pas, et les colons ne réclamaient pas. Les visites des missionnaires et celles du père Levé suffisaient. Certains prêtres de passage demandaient à voir la fameuse grotte de Lourdes commencée. Ils disaient qu'on la terminerait un jour et qu'un évêque viendrait la consacrer. Ils parlaient aussi de l'abbé Gauzon qu'ils avaient entendu à Montréal prêcher les vertus de la colonisation et le bonheur du Nord.

Quand Cyrille se retrouva seul, il déclina toutes les offres de ceux qui l'invitaient à s'installer chez eux. Un soir, il alla trouver Billon et lui dit :

— Au fond, le cheval, c'est surtout à toi qu'il est puisque c'est toi qui as payé le plus.

— Il est à tout le monde, répliqua l'ancien maçon, et sans toi, y serait plus à personne.

— Ce que je voulais te proposer, comme c'est moi qui le soigne, c'est qu'on monte une vraie écurie derrière mon campe. Un cheval, la nuit, ça peut avoir peur, faut toujours...

Billon l'interrompit.

— T'as raison. Ça m'arrange, la femme veut prendre des poules et des lapins. On les mettra à sa place.

Avec l'expérience qu'ils avaient acquise de la construction, l'écurie fut vite bâtie. On l'avait prévue grande, car on savait qu'il faudrait, le plus vite possible, un compagnon de travail pour Cadieu. Une aide indispensable pour arracher les grosses souches et débarder les plus lourdes billes, celles qu'on avait réservées pour la construction de l'église.

Comme il y avait de la place dans l'écurie, Cyrille s'y monta une couchette. Peut-être par superstition, il ne voulait pas loger dans son campe avant qu'Élodie et les enfants soient arrivés. La première nuit où il coucha près de Cadieu, il faisait un beau clair de lune. Il laissa la porte grande ouverte. Devant, à quelques pas, il avait allumé un brûlot d'herbes pour éloigner la vermine ailée. Allongé sur le côté, il demeura longtemps à regarder le cheval qui somnolait, immobile sur ses quatre grosses pattes parcourues de frémissements. De temps en temps, la chaîne cliquetait, un sabot battait. Cadieu se réveillait et se mettait à mâchonner une poignée de foin. Sa longue queue battait sa croupe luisante de lune.

Cyrille mit très longtemps à s'endormir. Il pensait à son campe vide, tout proche, et se disait que le bonheur serait bientôt là, installé sous ce toit où les siens allaient le rejoindre. Dans son demi-sommeil, il les voyait déjà tous près de lui. Il voyait aussi Cadieu, bien présent avec sa grosse force paisible, et quelque chose en lui murmurait que c'était déjà beaucoup de bonheur.

Saint-Télesphore, été 1978
Morges, 7 novembre 1984

TABLE

OUVRAGES
DE
BERNARD CLAVEL

Romans

Édit. Robert Laffont : L'Ouvrier de la nuit. — Pirates du Rhône. — Qui m'emporte. — L'Espagnol. — Malataverne. — Le Voyage du père. — L'Hercule sur la place. — Le Tambour du bief. — Le Seigneur du fleuve. — Le Silence des armes. — La Grande Patience (1. La Maison des autres ; 2. Celui qui voulait voir la mer ; 3. Le Cœur des vivants ; 4. Les Fruits de l'hiver). — Les Colonnes du ciel (1. La Saison des loups ; 2. La Lumière du lac ; 3. La Femme de guerre ; 4. Marie Bon Pain ; 5. Compagnons du Nouveau-Monde).
Édit. J'ai Lu : Tiennot.
Édit. Albin Michel : Le Royaume du Nord (1. Harricana ; 2. L'or de la terre ; 3. Miséréré).

Nouvelles

Édit. Robert Laffont : L'Espion aux yeux verts.
Édit. André Balland : L'Iroquoise. — La Bourrelle. — L'Homme du Labrador.

Essais

Édit. du Sud-Est : Paul Gauguin.
Édit. Norman C.L.D. : Célébration du bois.
Édit. Bordas : Léonard de Vinci.
Édit. Robert Laffont : Le massacre des innocents. — Lettre à un képi blanc
Édit. Stock : Écrit sur la neige.
Édit. du Chêne : Fleur de sel (photos Paul Morin).

291

Miserere

Édit. universitaires Delarge : Terres de mémoire (avec un portrait par G. Renoy, photos, J. M. Curien).
Édit. Berger-Levrault : Arbres (photos J. M. Curien).
Édit. Actes Sud : Je te cherche, vieux Rhône.

Divers

Édit. Robert Laffont : Victoire au Mans.
Édit. H. R. Dufour : Bonlieu (dessins J. F. Reymond).
Édit. Duculot : L'Ami Pierre (photos J. Ph. Jourdrin).

Pour enfants

Édit. la Farandole : L'Arbre qui chante.
Édit. Casterman : La Maison du canard bleu. — Le Chien des Laurentides.
Édit. Hachette : Légendes des lacs et rivières. — Légendes de la mer. — Légendes des montagnes et forêts.
Édit. Robert Laffont : Le Voyage de la boule de neige.
Édit. Delarge : Félicien le fantôme.
Édit. École des Loisirs : Poèmes et comptines.
Édit. Clancier Guénaud : Le Hibou qui avait avalé la lune.
Édit. Rouge et Or : Odile et le vent du large.
Édit. de l'École : Rouge Pomme.
Édit. Flammarion : Le Mouton noir et le loup blanc.
Édit. Albin Michel : Le Roi des poissons.

*La composition de ce livre
a été effectuée par Bussière à Saint-Amand,
l'impression et le brochage ont été effectués
sur presse CAMERON
dans les ateliers de la S.E.P.C. à Saint-Amand-Montrond (Cher)
pour les éditions Albin Michel*

*Achevé d'imprimer en octobre 1985
N° d'édition 9074. N° d'impression 1897-1266
Dépôt légal : octobre 1985*

Imprimé en France